O Método Michelangelo

Kenneth Schuman e Ronald Paxton

O Método Michelangelo

Revele sua obra-prima e crie uma vida extraordinária

Tradução
Clóvis Marques

BestSeller

CIP-BRASIL. CATALOGAÇÃO-NA-FONTE
SINDICATO NACIONAL DOS EDITORES DE LIVROS, RJ.

S419m Schuman, Kenneth
O Método Michelangelo / Kenneth Schuman e Ronald Paxton; tradução de Clóvis Marques. - Rio de Janeiro: Best*Seller*, 2008.

Tradução de: The Michelangelo Method
Inclui bibliografia e índice
ISBN 978-85-7684-202-6

1. Experiências de vida. 2. Técnicas de auto-ajuda. I. Paxton, Ronald. II. Título.

CDD: 158.1
08-3392 CDU: 159.947

Título original norte-americano
THE MICHELANGELO METHOD: RELEASE YOUR INNER MASTERPIECE AND CREATE AN EXTRAORDINARY LIFE

Capa: Sérgio Campante
Editoração eletrônica: Abreu's System

Impresso no Brasil

ISBN 978-85-7684-202-6

PEDIDOS PELO REEMBOLSO POSTAL
Caixa Postal 23.052
Rio de Janeiro, RJ – 20922-970

Para minha mulher, Wendy, que sempre foi minha parceira de alma e sempre será meu maior amor. Para meus filhos, Cory e Andy, que enchem meu coração de alegria e dão significado à minha vida.

— *Kenneth Schuman*

Para minha mulher, Nancy, que há quatro décadas me introduziu à integridade e ao esplendor das obras-primas de Michelangelo, por compartilhar comigo sua vida e seu amor. Para meus filhos, Jill e Brad, que me inspiram em seu firme compromisso com os sonhos que abraçaram na vida. Para meus preparadores, Susan Wallace e David Burnet, que me orientaram e apoiaram na busca da vida que me convinha. Para meus clientes, que me honraram e me ensinaram, convidando-me a estar a seu lado em sua caminhada em direção a uma vida extraordinária.

— *Ronald Paxton*

Sumário

Agradecimentos

Escrever este livro foi uma alegre jornada, desde o momento, três anos atrás, em que chegamos à conclusão de que tínhamos uma mensagem a transmitir, até a hora em que finalizamos o manuscrito de *O Método Michelangelo.* Gostaríamos de agradecer àqueles que nos orientaram por esse caminho novo e desafiador.

Em primeiro lugar, gostaríamos de agradecer a Wendy Schuman, que participou de todas as etapas de desenvolvimento do livro, tendo sido de inestimável ajuda, com sua percepção e seus talentos de redatora e editora, no processo de concepção e aprimoramento.

Um agradecimento especial a Jason Tarantino, que nos ajudou a forjar um estilo narrativo atraente que deu vida aos estudos de caso.

Gostaríamos de agradecer a Joelle Delbourgo, nossa agente, por reconhecer o potencial do livro e por desempenhar um excelente trabalho na busca do editor certo.

Somos extremamente gratos a Deborah Brody, editora sênior na McGraw-Hill, pelo discernimento, orientação e ajuda concreta no desenvolvimento da forma final deste trabalho.

Finalmente, gostaríamos de agradecer a nossos clientes, que nos permitiram compartilhar as inspiradoras histórias que ilustraram os princípios do Método Michelangelo.

Introdução

Quem não viu a Capela Sistina não pode ter uma idéia apreciável do que um homem é capaz de realizar.

Johann Wolfgang von Goethe, Roma, 1787 (escrito depois da visão das esplêndidas pinturas de Michelangelo em afresco, reunindo mais de trezentas figuras e cobrindo cerca de $500m^2$ do teto da Capela Sistina, no Vaticano).

Você pode encontrar mestres trabalhando em inúmeras áreas: na arte, na ciência, no governo, nos negócios, em vendas e marketing, na engenharia, na fotografia, na culinária, na dança, no canto e na representação, na contabilidade — em qualquer atividade a qual as pessoas se dediquem com prazer. Existem pelo menos alguns milhares de mestres, talvez mais, em cada campo. É uma conclusão surpreendente!

E não nos referimos ao passado, mas sim ao presente. O domínio de um campo de ação não é algo que ocorre uma vez a cada século, sob influência da Lua. A maestria é possível, não só para alguns nomes rabiscados nas páginas bolorentas da história, mas para todos. Neste exato momento, a maestria está dentro de todos nós.

Dentro de você. Na verdade, a sua obra-prima já está aí, esperando para ser revelada. Para entender o que é essa obra-prima, você precisa apenas da capacidade de ver dentro de si mesmo, de entender os valores, paixões e talentos pessoais que lhe permitirão expressá-la.

Neste exato momento, a maestria existe dentro de cada um de nós.

Michelangelo Buonarroti

Embora tenham existido inúmeros mestres ao longo da história, são poucos aqueles que adquiriram domínio em mais de um campo.

Anton Tchekov, o grande escritor e dramaturgo, foi um bem-sucedido médico de província. Thomas Jefferson foi brilhante como estadista e arquiteto. Leonardo da Vinci, o grande pintor, foi também um inventor cujas incríveis descobertas estavam anos à frente de sua época. São muito raros os mestres em dois campos de atividade.

Existe, entretanto, uma pessoa na história que incontestavelmente alcançou a maestria em três diferentes campos: Michelangelo Buonarroti. Em cada um deles — escultura, pintura e arquitetura —, Michelangelo criou e inovou, abrindo caminho para os que viriam depois. Fosse nas requintadas pinceladas e na complexa iconografia da Capela Sistina, nos incríveis golpes de cinzel que revelaram a magnífica anatomia de seu *David* ou na esplêndida cúpula da Basílica de São Pedro, Michelangelo evidenciava toda a maestria de sua arte.

Descubra seu próprio caminho para a maestria.

Temos valiosas lições a aprender com a vida de Michelangelo e a maneira como encarou seu trabalho e suas relações pessoais — lições que, se aplicadas em nossa vida, permitem poderosas rupturas que revelam nosso caminho pessoal para a maestria.

O Método Michelangelo desvenda essas estratégias, apresentando lições da vida real para aplicá-las na construção de uma vida extraordinária que seja bem-sucedida.

As estratégias descritas neste livro são tiradas diretamente da vida e da obra de Michelangelo, muito bem documentadas em seus próprios escritos (ele foi um prolífico escritor de cartas e poeta) e em relatos de seus biógrafos contemporâneos, Giorgio Vasari e Ascanio Condivi, assim como de autores posteriores.

Apesar de escrito por dois coaches, este livro adota uma perspectiva única, o que elimina o problema de precisar constantemente distinguir quais experiências estão relacionadas a este ou àquele autor — "Eu, Kenneth Schuman" ou "Eu, Ronald Paxton". Ambos estão profundamente comprometidos com o método e a abordagem de treinamento constante do livro e, neste sentido, efetivamente falam com uma só voz.

Este livro apresenta 12 estudos de caso que demonstram como o Método Michelangelo pode inspirar, orientar e dar apoio nas difíceis transformações de sua carreira e de sua vida. Cada um desses casos foi extraído da experiência concreta de nossos clientes, embora seus nomes e certos detalhes capazes de identificá-los tenham sido alterados para respeitar sua privacidade. Estamos convencidos de que você encontrará nessas histórias e no processo de aplicação das percepções e técnicas de treinamento algo que tenha relação com sua situação e com a liberação da sua própria obra-prima interior.

Você aprenderá a:

- Identificar a obra-prima que já está dentro de você, exatamente como Michelangelo visualizava *David* num gigantesco bloco de pedra bruta.
- Descobrir o seu objetivo pessoal e intransferível, fazendo a ligação entre seus pontos fortes, suas paixões e seus valores.

- Explorar seus pontos fortes para vencer os obstáculos e capacidades necessários à realização do seu projeto.
- Comprometer-se com esse ideal com a confiança necessária para ter êxito.
- Remover os obstáculos internos e externos que o detêm.
- Desenvolver a rede de apoio necessária para descobrir e perseguir sua meta.
- Lutar por ela, reunindo energia e recursos para superar as dificuldades.
- Alargar seus limites e assumir os riscos necessários para criar sua obra-prima pessoal.
- Estabelecer as devidas associações e combinações em suas experiências de vida para se capacitar a enfrentar novos desafios.

Nós o convidamos a criar sua própria vida extraordinária usando o poder das perguntas e exercícios de descoberta que constam em cada capítulo, os recursos fornecidos nos Apêndices e as demais fontes disponíveis em nosso site na internet, michelangelomethod.com. O Método Michelangelo vai permitir-lhe criar uma vida que combine com você e lhe dê energia, ao mesmo tempo em que concretiza seu objetivo pessoal e intransferível.

1

Visualize sua obra-prima interior

A concepção de um grande artista está potencialmente contida na massa de um bloco de mármore, mas só uma mão obediente à mente pode desvendar a imagem.

Michelangelo Buonarroti

A imagem contida na pedra

A escultura é uma arte intimidadora. Imagine um imenso bloco de rocha, que pesa muitas toneladas, no soalho do estúdio do artista. Agora se veja diante dessa rocha. Você fica pequenininho. À sua frente, um gigante imóvel e impenetrável. Agora imagine que terá de começar a esculpir para atender a uma encomenda de uma igreja, de uma família rica ou talvez dos governantes do seu país.

Como você vai transformar essa rocha numa magnífica *Pietà*?

E ainda que você tenha algum êxito e sua concepção comece a tomar forma, qualquer movimento em falso com o cinzel, uma escapulida do malho ou até um defeito imprevisto na rocha poderá danificar seu trabalho, sem possibilidade de conserto. Imagine, então, esculpir o *David* de Michelangelo, figura de um jovem herói com mais de 4m de altura. Imagine o desafio que seria criar uma das maiores obras-primas da escultura na história da humanidade.

Não resta a menor dúvida de que Michelangelo foi um dos maiores escultores da história, um homem capaz de transformar um sólido bloco de mármore numa forma vívida que associava a técnica e as proporções greco-romanas a um expressionismo apaixonado nunca antes visto nessa arte. Contudo, mesmo levando-se em conta sua genialidade, como se explica que Michelangelo tenha conseguido esculpir o *David* a partir de um gigantesco bloco de pedra tão danificado que seus contemporâneos o consideravam "imprestável" e "sem valia"? O que lhe permitiu ter êxito ante tal desafio? Como será que conseguiu reunir a coragem para começar?

A resposta é simples: Michelangelo olhou para o bloco e viu *David* em seu interior.

Michelangelo tinha uma convicção decisiva a respeito da arte da escultura. Ele considerava que em cada bloco de pedra havia uma figura oculta, esperando para ser revelada. Para Michelangelo, era claro o trabalho a ser feito pelo mestre em escultura: eliminar o que não fazia parte da figura e desvendar a obra-prima contida na pedra. Eis como ele próprio descreveu o processo em um de seus sonetos:

> No toque do cinzel
> A pedra bruta e fria
> Torna-se molde vivo.
> Quanto mais perde o mármore,
> mais cresce a estátua.

Com esta perspectiva, a missão de extrair um *David* da rocha firme parece menos impossível. *David* já está lá. O trabalho de Michelangelo foi simplesmente revelá-lo.

Existe um David dentro de você.

Quem quer que você seja, o que quer que esteja fazendo, existe uma obra-prima no interior da pedra da sua vida cotidiana. Para revelar essa obra-prima oculta, para dar saltos em sua carreira e em sua vida, você precisa, tal como Michelangelo, ver que esses avanços já estão lá. Você deve olhar para dentro de si mesmo e dar-se conta do que realmente quer, capitalizar suas paixões e visualizar a obra-prima que está em seu interior.

Ben

Quando o conheci, Ben tinha todas as características de "rei do universo". Era um homem poderoso no setor de bancos de investimentos em Nova York. O terno azul-escuro, a gravata vermelha, os cheques de bonificação, os contratos de milhões de dólares, as conversas nervosas ao telefone, o jeito apressado, a agenda repleta: uma imagem de perfeita solidez.

Este era Ben. Pouco mais de um ano antes, seu mentor lhe oferecera um cargo ligado a finanças corporativas num importante banco de investimentos em Manhattan. E ele, talentoso e inteligente, fez com facilidade a transição de sua carreira no governo, onde atuara como diretor de desenvolvimento, para o setor de investimentos. Se conseguisse manter a trajetória de sucesso em sua nova carreira, logo passaria a ter uma renda de milhões de dólares. Era o emprego dos sonhos de qualquer um e, além disso, se adaptava perfeitamente à capacitação de Ben como homem de negócios, gerente e homem influente. Mas, embora ele parecesse à vontade na função, por dentro havia outro Ben. Um Ben constrangido e imóvel.

Por baixo dessa casca de banqueiro de investimentos, o outro Ben via as mudanças que ocorriam em sua vida. O terno e a gravata continuavam no lugar. A semana de trabalho de mais de oitenta horas tomava o lugar dos momentos passados com a mulher e a filha. O futuro mudava, não apenas em termos financeiros, mas também no que dizia respeito à família

Trabalhando até tarde da noite no escritório, Ben conversava com os colegas em torno de embalagens de comida chinesa. As histórias contadas pelos colegas eram sempre as mesmas: os problemas enfrentados com as esposas, no primeiro ou no segundo casamento, o desejo que elas manifestavam de que eles passassem mais tempo com os filhos, as festinhas de aniversário que perdiam quando tinham de modificar os termos dos contratos para as fusões empresariais com as quais trabalhavam.

E também, claro, as queixas dos colegas! Será que as mulheres não entendiam que para ter dinheiro e manter o estilo de vida — o *chef* particular, a casa em Hamptons, os acessórios Chanel e Gucci, as escolas particulares —, para ter o que aquele emprego tornava acessível, teriam de fazer um pequeno sacrifício? E, além disso, eles também perguntaram: "Será que elas não entendem que eu gosto do que faço?"

Ben começou a comparar sua vida com a dos colegas. Muitos dos que vinham alcançando mais sucesso pareciam gostar mais de dedicar seu tempo ao trabalho do que à mulher e à família. E Ben?

Às vezes, tarde da noite, envolvido num problema financeiro particularmente complexo, ele contemplava as fotos sobre a mesa. Fixava-se então na imagem da filha, de 9 anos. Lá estava ela na sala de estar de seu apartamento, sorrindo para ele através da lente da câmera. Metida num leve *tutu* cor-de-rosa, ela estava com os braços erguidos, os calcanhares colados enquanto os pés assumiam meio desajeitadamente a primeira posição de balé. Ele pensava em sua mulher, do outro lado da câmera, sozinha no apartamento, tirando uma foto para o marido ausente.

Ben olhou de novo para a confusão dos cálculos financeiros no computador. Os números não batiam. Ben não era mais o mesmo Ben.

As crises raramente acontecem em momento oportuno.

Num gelado anoitecer de janeiro, com sua mulher viajando para escrever um artigo que uma revista havia encomendado e a filha em casa com a babá, Ben, em pleno coração de Wall Street, esperava uma resposta de um importante parceiro de negócios a respeito de um grande contrato que estava prestes a ir por água abaixo. Ele deveria estar em casa às 6 horas para liberar a babá. E, com aquele tempo, era possível supor que Ben fosse para casa ainda mais cedo. Mas as grandes negociações não param por causa das nevascas, do tempo ou outros atos de Deus.

Eram 5 horas da tarde quando os documentos finalmente chegaram à mesa de Ben, com seu emaranhado de cifras, para serem analisados. Milhões de dólares estavam em jogo. Para preparar seu relatório, ele precisaria ainda de muitas horas de trabalho. A neve continuava caindo, acumulando centímetros no chão.

O telefone tocou no escritório de Ben às 7 horas. A babá já ficara por mais tempo do que havia sido acertado e deixava transparecer na voz sua preocupação e irritação. Aquela seria a maior tempestade do ano, disse ela. "A meteorologia disse que todo mundo deve ficar em casa, e minha mãe quer que eu vá embora agora."

Ben não sabia o que fazer. Sua mulher estava a centenas de quilômetros de distância, a babá tinha de ir embora e ele estava preso no trabalho. Um verdadeiro dilema. A família estava precisando dele; o trabalho também. Ben tinha de escolher.

Ao enfiar os papéis na pasta, descer voando as escadas, entrar num táxi e iniciar a complicada viagem de volta para casa, ele fez uma escolha. Optou pela família.

No táxi, Ben, talvez pela primeira vez, teve um vislumbre do interior da pedra. Abrira-se uma fenda na fachada de banqueiro de investimentos zelosamente polida, e ele se viu lá dentro, tolhido e sem recursos.

Quando abriu a porta de casa, sua filha correu em direção a ele, de braços abertos. "Está nevando, papai." E pulou em seus braços. Pegando-a no colo, Ben sentiu sua individualidade expandir-se e ampliar os limites do espaço.

A chave da sua obra-prima está nos seus valores e paixões.

Quando Ben me procurou, ambos sabíamos que uma mudança era iminente; ele apenas não sabia que mudança seria essa. Ben conhecia seu potencial. Seu mentor, os colegas, os chefes, a família e os amigos não se cansavam de falar a respeito. E ele acreditava que diziam a verdade: se se empenhasse, seria capaz de criar uma obra-prima. Só não sabia qual seria.

Ben começara a ficar preocupado. E se tudo que diziam não passasse de um equívoco? Talvez ele não estivesse destinado a ser mestre em coisa alguma. Talvez estivesse fadado a ser um indivíduo que não passou de uma promessa.

O que Ben não sabia era que a sua obra-prima já estava dentro dele. Ele precisava apenas vê-la, enxergar o seu *David* dentro do bloco de pedra.

Para visualizar sua obra-prima, Ben precisava entender apenas duas coisas. Primeiro, o que era realmente importante para ele em sua vida? Depois, quais eram suas paixões?

Quando sentamos para conversar pela primeira vez, perguntei-lhe quais eram os primeiros pensamentos que passavam por sua cabeça quando não tinha de pensar em algo específico. Sua resposta não poderia ter sido mais clara: "Minha mulher e minha filha. Sempre." Não havia dúvidas. Evidentemente, um dos valores mais importantes na vida de Ben era sua família. Para dar um salto em direção à sua obra-prima, ele teria de conciliar sua carreira com seus valores. Precisaria encontrar o equilíbrio entre o trabalho e a vida em família.

Mas o valor que ele atribuía à família tornava-a apenas uma peça do quebra-cabeça. Algo se torna um valor quando é importante para nós. São coisas das quais não abrimos mão. Mas não é algo que *fazemos*; não se trata de uma força propulsora. Um valor é uma maneira de ser, e não de fazer. A força propulsora, esse "fazer", é a sua paixão. Uma paixão é algo que você faria se dispusesse de tempo e recursos ilimitados; é aquilo que você sonhou quando estava crescendo; é o motor que o conduzirá à sua obra-prima.

Uma paixão é algo que você se sente compelido a fazer.

Ao examinar o percurso profissional de Ben, suas paixões ficaram claras para mim. Conversando com ele, fiquei sabendo que ele se formou com um MBA no auge da guerra do Vietnã. Ao contrário de outros, no entanto, que usavam o MBA para ascender rapidamente na carreira corporativa, Ben tomou um caminho diferente. Ao concluir a faculdade, foi ensinar nas perigosas e complexas escolas do South Bronx. Embora não tenha agido assim sem interesse pessoal — durante a guerra do Vietnã, trabalhar como professor numa escola permitia adiar o alistamento militar —, o ensino abriu seus olhos para a diferença que a ação de uma pessoa pode fazer, especialmente num bairro tão problemático quanto o South Bronx na década de 1970.

Depois de enfrentar e vencer os desafios do ensino num contexto tão difícil, Ben decidiu que também podia dar sua contribuição valendo-se de seu MBA Começou então a procurar emprego em organizações sem fins lucrativos de Nova York. E veio a dirigir um centro que ajudava famílias carentes a se situar na complexa infra-estrutura de programas sociais da cidade, contornando a necessidade de entregar os filhos aos cuidados de terceiros.

Pedi-lhe que me contasse um pouco sobre seu trabalho nesse centro. Ele arregalou os olhos, e eu percebi o entusiasmo que tomou conta dele: "As histórias que eu poderia contar..."

Tínhamos ali um excelente ponto de partida.

Encontre um trabalho que acenda uma chama dentro de você.

"O centro que eu dirigia tinha vários escritórios representando os diferentes bairros de risco da cidade de Nova York. Tive oportunidade de trabalhar em todos eles, mas a certa altura passei algum tempo à frente do escritório de Chinatown.

"Certo dia, uma mulher vietnamita entrou no escritório com os três filhos. Ela não falava inglês e, como nossos colaboradores que sabiam mandarim não eram fluentes no vietnamita, a comunicação era difícil, para dizer o mínimo. Mas não precisávamos entender sua língua para perceber que ela estava desesperada. Seus olhos se enchiam de lágrimas enquanto ela tentava contar sua história à nossa equipe. Num esforço conjunto, conseguimos mesclar várias línguas — um pouco de francês, algumas frases em vietnamita, um pouco de mandarim —, e logo ficamos sabendo de sua história.

"Ela tinha cerca de 30 anos e chegara recentemente aos Estados Unidos, vinda de Saigon. Estávamos nos últimos dias da guerra do Vietnã, e dava para imaginar o caos e o derramamento de sangue a que ela assistira. O fato é que, no meio daquele caos, seu marido conseguira colocá-la junto com os filhos numa embarcação que estava de partida para os Estados Unidos. Ela veio com as economias da família e a promessa de que seu marido viria ao seu encontro semanas depois.

"As semanas se passaram e o marido não chegou. Temendo o pior, ela começou a tentar se informar sobre seu paradeiro. Através de vários contatos — parentes, em conturbados telefonemas de longa distância, primos distantes, parentes de outras pessoas chegadas do Vietnã —, ficou sabendo que o pior acontecera. Seu marido estava morto, mais uma baixa civil da guerra.

"E agora lá estava ela, numa cidade estranha, enfrentando a dor da perda, tentando encontrar trabalho — o que, naturalmente, era difícil, já que não falava inglês — e tendo de sustentar a família. O que ficava cada vez mais difícil com o passar dos dias.

"O filho menor contraiu uma asma muito forte: dava literalmente para ouvir sua respiração chiada quando eles entraram no escritório. E as condições em que viviam — um apartamento pequeno e sujo onde também estavam instaladas duas outras famílias — não eram ideais para recuperar sua saúde. O filho do meio, que antes era uma criança-modelo, estava *enlouquecendo*. Evidentemente estava traumatizado pelo horror a que assistira em Saigon e pela perda do pai, tornando-se um menino com problemas disciplinares, desafiando constantemente a mãe e brigando com o irmão menor. Mas o pior problema era provavelmente o mais velho.

Até então aluno exemplar em Saigon, estava agora completamente perdido no sistema educacional público americano. Sem dominar minimamente o inglês, saía-se mal na escola. Pior, estava se envolvendo com uma das muitas gangues das ruas de Chinatown. Não era preciso ser um assistente social para perceber que essa família enfrentava sérios problemas.

"Vendo uma pessoa que tinha sofrido tanto, lutando para não se abalar, você fica com o desejo de ajudar. E felizmente nós podíamos fazer isso. Nossa equipe entrou em ação. Recrutamos uma pessoa que falava vietnamita. Matriculamos a mulher num curso de inglês. Encontramos para ela um trabalho de meio expediente, fazendo a limpeza de casas na vizinhança da comunidade de Chinatown. Conseguimos atendimento psicológico para os dois filhos com problemas de comportamento e assistência médica para o filho asmático. Ajudamos a mulher a abrir caminho no sistema público de assistência e habitação. Matriculamos os filhos em programas de acompanhamento pós-escolar, para mantê-los fora das ruas enquanto ela trabalhava. Fizemos o possível para ajudar a manter unida a família.

"Passados dois anos, consegui encerrar o caso com êxito. A saúde do filho menor melhorara muito. O filho do meio começou a se interessar por esportes — era muito bom em corrida —, recuperando a disciplina a que estava habituado no Vietnã. E o filho mais velho retomou seu interesse pela ciência, mostrando na escola pública local um desempenho tão bom que conseguiu ser admitido no cobiçado curso do Colégio de Ciências do Bronx. Quanto à mulher, comunicando-se melhor em inglês, conseguiu um emprego estável que lhe permitiu começar a economizar algum dinheiro para a educação superior dos filhos. Foi um final feliz realmente incrível."

Ben deteve-se por um bom momento, nitidamente contemplando na mente aquela imagem de seu passado. Até que deu uma risada, para sacudir a sensação pela qual era tomado: "Acho que contei bem detalhadamente como era esse trabalho."

Procure além da superfície para encontrar o seu verdadeiro eu.

Depois de ouvi-lo contar sua história, eu podia ver claramente que a paixão de Ben era ajudar as pessoas. Então, não surpreende que achasse tão difícil trabalhar num campo como os bancos de investimentos, onde a preocupação é exclusivamente financeira.

O fato é que, quando não estava ajudando as pessoas, Ben não era realmente ele mesmo. Independentemente do terno e da gravata, da agenda repleta, bem lá no fundo, por trás da fachada bem montada, estava sua verdadeira obra-prima. Ou seja, ele devia trabalhar com suas paixões de uma forma que estivesse de acordo com aquilo que valorizava na vida. Ben precisava apenas enxergar a forma no interior da pedra.

Ele teria de começar fazendo duas coisas. Primeiro, precisaria reconhecer que seu valor mais fundamental era a família, encontrando uma carreira que lhe permitisse passar um bom tempo com ela. Segundo, essa carreira teria de permitir que ele seguisse verdadeiramente sua paixão, ajudando os outros.

Mais tarde, Ben teria a oportunidade de dar um salto em direção a esse ideal, revelando a expressão mais verdadeira da sua individualidade. Não seria fácil — esculpir é um trabalho tão duro quanto a própria pedra —, mas, depois de dar o primeiro passo, não restava mais dúvida de que, no final, o trabalho de Ben só poderia levar a uma coisa: uma obra-prima.

Esculpa sua obra-prima particular

Michelangelo tinha uma convicção quanto à arte da escultura: ele contemplava um bloco de mármore e via a figura em seu interior, lutando para se libertar.

Qualquer que seja a sua situação, por mais difícil que pareça a mudança, existe uma obra-prima oculta na pedra da sua vida cotidiana. Para liberar essa obra-prima e dar os saltos que o conduzirão a uma vida e uma carreira fascinantes, você precisa olhar para dentro de si mesmo; desenvolver um entendimento da sua própria vida para que haja convergência de seus valores, paixões e talentos; e então, a partir desse ideal, criar sua obra-prima.

Se você está pronto para dar o salto para essa vida extraordinária, faça como Ben. Volte-se diretamente para seus valores pessoais e libere suas paixões. Construa os alicerces de que precisa para enxergar a obra-prima que está dentro de você.

Descubra seus valores pessoais

Valores são tudo aquilo em que acreditamos, que consideramos compensador ou desejável. Levar uma vida na qual seus valores fundamentais sejam acolhidos é extremamente importante para sua felicidade pessoal. Realização, aventura, beleza, criatividade, poder, amor, lealdade, religião, amizade, conhecimento — todos estes são exemplos de valores pessoais. A pergunta é: o que você valoriza na vida?

Para identificar seus valores pessoais, é necessário fazer a si mesmo algumas perguntas importantes e difíceis:

- Quem são meus modelos na vida, e por que eu os admiro?
- O que faço nas minhas horas de lazer?
- O que sinto quando me entrego a essas atividades de lazer?
- Se eu não tivesse qualquer restrição em relação a dinheiro, como empregaria meu tempo?
- O que provavelmente sentiria ao me entregar a essa atividade?
- O que me dá energia no trabalho?

Depois de ter desenvolvido algumas idéias preliminares a respeito, converse sobre seus valores com alguém que o conheça bem e confirme com essa pessoa se você está no caminho certo. Não há necessidade de um debate: simplesmente tome as respostas dela como uma contribuição adicional.

Exercícios de descoberta

1. Anote as respostas a cada uma das perguntas anteriores, identificando todos os valores pessoais abrangidos por essas atividades. Tente especificar com exatidão o que você valoriza. Por exemplo, se dedica seu tempo a se exercitar, descubra se é a beleza ou a saúde que você valoriza. Ou se utiliza a ginástica para conhecer pessoas. Examine as outras escolhas que faz na vida. Você ficaria mais interessado(a) em uma nova loja de produtos orgânicos ou em uma nova loja de cosméticos? Se a resposta for a loja de produtos orgânicos, é provável que você valorize a saúde acima de tudo.
2. Consulte a lista de valores pessoais no Apêndice A. Relacione os cinco valores com os quais mais se identifi-

ca (acrescentando algum outro, se for o caso). Anote cada um desses cinco valores em pequenos cartões.

3. Analise os cinco cartões. Se você tivesse de abandonar um desses valores em sua vida, sem possibilidade de recurso, de qual deles abriria mão? Quando estiver realmente decidido a respeito do valor que pode dispensar, elimine o cartão respectivo. Repita o processo até ficar com apenas dois cartões. São esses os seus dois valores pessoais mais importantes. Certifique-se de que eles sejam incorporados com destaque em sua vida. Procure maneiras de incluir também seus outros valores fundamentais.

Libere suas paixões

A paixão é o motor que o impulsiona em direção à sua obra-prima. Algo que lhe dá muita alegria e mobiliza suas mais profundas emoções. Não é apenas o que você faz, mas o que decide fazer. Veja no Apêndice A uma relação das principais paixões. Crie sua própria lista.

Para liberá-las, faça a si mesmo as seguintes perguntas:

- Quais são as minhas expectativas quando me levanto pela manhã?
- Ao longo do dia, com o que sonho acordado, enquanto minhas idéias fluem?
- Que atividades desejaria exercer enquanto trabalho?
- Quais os meus hobbies?
- O que desejava ser "quando crescesse"?
- O que ou sobre quem eu gosto de ler?
- Quais os temas sobre os quais gosto de conversar com amigos e família?

Suas respostas a essas perguntas revelarão quais são suas verdadeiras paixões. Pode ser que você dedique seu tempo livre para tentar salvar uma floresta ameaçada de extinção. É evidente, então, que a sua paixão é defender o meio ambiente e tornar o planeta um lugar melhor para se viver. Talvez você goste de restaurar carros antigos. Ou então se entusiasme quando pode aprender sobre o funcionamento das coisas, ou adora atividades artesanais.

Converse com as pessoas mais próximas. Compartilhe com elas suas idéias e paixões. Veja se elas pensam como você.

Exercícios de descoberta

1. Relacione o máximo de atividades que puder ligadas às sete perguntas anteriores.
2. Veja quais atividades aparecem mais de uma vez. Quais os temas que transparecem? Por exemplo, se você relacionou "viagens" nos quesitos desejos, hobbies e temas favoritos de conversa, parece ficar bastante claro que se trata de uma de suas grandes paixões. (A paixão predominante de Michelangelo era a escultura. Mesmo tendo pintado o teto da Capela Sistina, ele se considerava sobretudo um escultor.)
3. Compare suas paixões com os valores descobertos no exercício anterior. Se a sua paixão é viajar, é possível que um de seus valores mais importantes seja a aventura ou o conhecimento. Os valores e as paixões são muito mais fortes e duradouros quando interagem.

2

Descubra o seu dom

Enquanto concluía o túmulo de Júlio II, Michelangelo dava instruções ao homem encarregado de cortar a pedra: "Corte este pedaço hoje, aplaine aqui e faça o polimento ali." Com o passar das horas, sem se dar conta, o sujeito constatou que criara uma estátua, contemplando pasmo a sua criação. Michelangelo perguntou: "Que acha?" "Acho-a muito boa", respondeu ele, "e lhe fico muito grato." "Por quê?", perguntou Michelangelo. "Porque você me fez descobrir um talento que eu não sabia ter."

Vida de Michelangelo,
Giorgio Vasari, 1568.

O dom de Michelangelo

Podemos encontrar nossas obras-primas particulares entendendo de que maneira nossos valores, paixões e pontos fortes se reúnem. A partir dessa poderosa ligação, podemos esculpir a vida que realmente desejamos. Michelangelo descobriu essa convergência em sua vida. Desde a mais tenra idade, seu ponto forte era o desenho, transferindo para o papel o que seus olhos viam ou o que sua mente imaginava. Ele o sabia, e cultivava esse dom desenhando sempre que podia. Escreveu seu contemporâneo e biógrafo Giorgio Vasari: "Como o gênio particular de Michelangelo lhe proporcionava prazer no desenho, ele passava todo o tempo de que podia dispor desenhando às escondidas, sendo por isto repreendido pelo pai e por outras pessoas mais velhas, e às vezes espancado." Michelangelo expressou a convicção de que o desenho era a fonte da qual emanavam os rios da pintura, da escultura e da arquitetura.

Estudando no ateliê de Domenico Ghirlandaio e na escola de artes dos Medici, Michelangelo desenvolveu seu talento para o desenho e viu surgir a paixão pela escultura que o acompanharia pela vida inteira.

Entretanto, para que os pontos fortes e as paixões de Michelangelo efetivamente se transformassem num dom, era preciso que se alinhassem com seus valores. O valor supremo para Michelangelo era glorificar Deus. Ele acreditava que o homem foi criado à imagem e semelhança do Criador e que a alma precisava desvencilhar-se da matéria para se religar a Deus. Acreditava que estava louvando Deus ao reproduzir na pedra, com a maior perfeição possível, Sua maior criação. Em sua admirável série de esculturas conhecidas como *Prisioneiros*, as figuras parecem lutar para se desvencilhar da pedra — uma metáfora do aprisionamento do espírito humano no corpo e do início da jornada da alma em direção a Deus. De seu famoso *Juízo Final*, no Vaticano, às esculturas de *David*, dos *Prisioneiros* e das três *Pietàs*, passando pela imponente cúpula que concebeu para a Basílica de São Pedro, em Roma, ele considerava que seu trabalho era uma manifestação de seus valores mais arraigados.

Para Michelangelo, a convergência de seus valores, paixões e pontos fortes gerava a energia e o espírito criativo necessários para cada obra-prima. Ele cultivava seu ponto forte, o desenho — no qual via "uma mão obediente à mente" —, para ir em busca de sua paixão, a escultura, a serviço de seu mais importante valor: louvar Deus, representando a beleza e a perfeição do homem. Sua maior alegria era dar vazão a esse dom e, uma semana antes de morrer, aos 89 anos, ele trabalhava em sua última obra-prima, a *Pietà de Rondanini*.

Susan

Em nosso primeiro encontro, Susan chegou exatamente 23 minutos atrasada, ou pelo menos foi o que me disse. E devia estar certa: seu relógio era ajustado por satélite.

Ao entrar apressada em meu consultório, ela usava sua roupa formal de trabalho, mas calçava tênis, um símbolo da maratona na qual sua vida se transformara. "Sinto muito, mas o trânsito está um horror."

Susan, eu logo viria a saber, estava terrivelmente estafada. E tinha motivos para isto. Há 16 anos, era o protótipo da mãe solteira, fazendo malabarismos entre uma carreira exigente e os cuidados com a filha, sem qualquer ajuda do pai da menina, sempre ausente. Susan era uma mulher ambiciosa. Ao longo dos anos, foi acumulando mais responsabilidades, transformando sua vida num verdadeiro desafio. A cada ano que passava, aumentava sua carga de trabalho, de serviços comunitários e de cursos de aperfeiçoamento profissional; e também matriculava a filha em mais atividades extracurriculares. Embora fosse uma excelente malabarista, o fato é que ninguém seria capaz de manter tal nível de desempenho. E pouquíssimos seriam capazes de atender às expectativas que ela nutria em relação a si mesma.

Susan era a principal assistente jurídica de uma importante firma de advocacia. Sua filha, "a flor em cima do monte de estrume do meu casamento", em sua irada formulação, acabava de ganhar uma bolsa de estudos para freqüentar uma universidade em outra cidade. Nos últimos 16 anos, Susan se via constantemente puxada em duas direções — a filha e a carreira —, sem conseguir atender a seus próprios padrões em nenhuma delas. E se sentia muito frustrada. Agora que a filha partira para a universidade, ela estava diante do próprio caminho. E contemplava o chão ao redor: "Só cimento e aridez por todo lado", dizia, "e meus pés já estavam plantados nele muito antes de eu poder fazer qualquer escolha".

Escolha onde plantar os seus pés.

Susan queria mudar. Mal podia esperar por isso. Mas em que direção? Não tinha a menor idéia. E não seria tarde demais? O tempo havia passado, deixando-a para trás. Afinal, já tinha quase 41 anos. Susan não conseguia pensar de maneira positiva. Achava que não tinha mais chances. Era uma mulher inteligente, articulada e preparada, capaz de fazer praticamente qualquer coisa que decidisse, mas que se via incapaz de realizar algo direito e considerava ter perdido todas as suas oportunidades.

Susan se achava um fracasso. Sua vida não passava de um gigantesco "poderia ter sido". Se não tivesse se casado tão cedo, poderia ter tido um relacionamento que a fizesse feliz. Se não tivesse engravidado, poderia ter concluído a faculdade de direito. Se tivesse tido oportunidade, poderia ser advogada, e não assistente. Em sua visão, não estava atrasada: simplesmente jamais tivera a chance de chegar. Mesmo agora, disposta a se abrir para uma nova vida, Susan não conseguia imaginar por onde começar. Porém, estava disposta a encontrar seu caminho, pois seu maior medo era ficar entre aqueles que, como disse o escritor Oliver Wendell Holmes, "morrem sem botar sua música para fora". Para Susan, estava na hora de começar a tocar a sua música.

— Como vou descobrir o que preciso fazer exatamente? Você pode me dizer?

Seus olhos perscrutavam desesperadamente os meus em busca de uma resposta.

— Você terá de encontrar em si mesma — respondi. — Mas, para começar, posso fazer algumas perguntas que começarão a revelar o seu dom.

— Mas eu não tenho nenhum dom.

Todo mundo tem um dom

Se você perguntar a alguém qual é o seu dom, é provável que a pessoa imediatamente pense em Michelangelo esculpindo a sua *Pietà* ou em Einstein revelando segredos do universo com uma simples equação, ou alguma outra coisa não menos extraordinária. As pessoas tendem a pensar nesses termos quando se fala de dons. Acham que um dom é um talento inato e excepcional, algo com que poucas pessoas são agraciadas.

Mas estão erradas.

O fato é que o dom não é exclusividade dos excepcionalmente talentosos, bem-sucedidos ou escolhidos. Pelo contrário: todo mundo tem um dom. Em alguns, são mil watts de luz ofuscante. Em outros, ele está oculto em uma pedra. Mas todos os dons estão aí, esperando para serem revelados.

Você pode encontrar o seu dom naquele lugar onde seus valores, paixões e pontos fortes se reúnem. Descobrir esse lugar é o primeiro passo para esculpir sua vida extraordinária. Pois se não usar o dom em sua vida, você se sentirá desconfortável, insatisfeito e frustrado, exatamente como Susan. Mas se, como ela, você estiver procurando o seu "lugar no mundo", sua primeira atitude, antes de qualquer outra, é encontrar o lugar para onde convergem seus valores, paixões e pontos fortes.

A paixão de Susan

Quando comecei a interrogar Susan sobre sua paixão, eu sabia que estava entrando em território nunca antes explorado.

Perguntei:

— Susan, ao acordar pela manhã, ou quando seu pensamento vaga durante o dia, em que você pensa?

— Puxa, são muitos pensamentos completamente loucos passando pela minha cabeça.

— Mas eu realmente gostaria de saber — encorajei-a —, por mais loucos que eles pareçam.

Depois de uma pausa, ela disse, hesitante:

— Às vezes, quando estou na minha mesa, aparece a imagem de uma praia deserta na minha cabeça. Não tem ninguém, apenas gaivotas voando e pousando à beira do mar. E eu estou ali. Mas não estou fazendo nada específico. Apenas caminho à beira-mar, observando os pássaros: como se comportam, como buscam alimento, a maneira como reagem quando a água se aproxima muito. Pura bobagem. Nem sei por que contei.

— Não, é precisamente o que estamos buscando. Você passa uma boa parte do seu tempo livre na praia?

— Não, de jeito nenhum. Às vezes eu levava minha filha, quando ela era menor, e nós gostávamos de caminhar juntas. Mas quase sempre a gente ia para a montanha. Acho que o importante mesmo não é tanto a praia, mas o fato de eu gostar de contemplar a natureza. Especialmente na reserva silvestre que fica a cerca de meia hora lá de casa. Eu gosto de fazer caminhadas e ficar observando os coelhos, marmotas, esquilos e outros animais.

Tente entender por que você faz o que faz.

— E por que você gosta de ficar observando os animais?

— Não sei muito bem. Acho que desde criança sempre gostei de animais. Quando era pequena, eu dizia que seria veterinária quando crescesse. Mas não queria isso realmente. Embora adorasse animais, não gostava da idéia de ter de operá-los. Eu me achava muito fraca para esse tipo de coisa. Mas gostava de ficar observando as aranhas tecendo suas teias na varanda do quintal. Ou os pássaros levantando vôo. Adorava ficar ao ar livre e caminhar. Gosto disso até hoje. Mas, pensando em tudo isto aqui com você, acho que não é só a questão da natureza. Também gosto de observar as pessoas. É uma das coisas de que mais gosto quando ando pela cidade na hora do almoço: simplesmente observar as pessoas e ver como interagem.

— Você tem curiosidade, então, sobre a maneira como as pessoas interagem com o ambiente.

Seu olhar se perdeu em pensamentos. Eu percebi que estávamos progredindo.

— Sim. Exatamente.

— E o que a atrai nessas interações?

— Acho que é o desejo de entender o que está acontecendo. Tentar perceber o que as pessoas estão fazendo, aonde vão, tentar imaginar como se comportarão em determinadas circunstâncias. Afinal, é mais ou menos o que eu faço no meu trabalho. Quando a gente trabalha para alguém, está sempre tentando adivinhar em que direção essa pessoa poderá se mover numa determinada circunstância. E quando isto acontece em meio a toda a política de uma grande empresa — e a política, nesse nível, é muito mais intensa do que você imagina —, a gente não se limita a analisar o próximo passo que a pessoa dará, mas também o de todo mundo. Caso contrário, simplesmente não conseguimos trabalhar direito. Acho então que é o que eu faço quando fico contemplando a natureza. Mas é claro que observar a natureza não tem nada a ver com meu trabalho.

Eu assenti:

— Num certo nível, sim. Mas você diria que, quando está no trabalho — ou, melhor, quando está na natureza, observando, por exemplo, uma aranha — está tentando apreciar a beleza e toda a complexa trama da teia? Ou fica imaginando histórias sobre a aranha? Ou se preocupa mais em obter informações sobre a aranha, analisando seus passos, observando se ela se sai bem? Ou seria ainda outra coisa?

— Acho que fico mais preocupada em tentar entender o que ela está fazendo e o que dá firmeza à teia.

— Você disse que houve um momento em que estudou antropologia — observei, tentando explorar mais suas áreas de interesse. — Você gostava?

— Sim. É verdade, até hoje gosto de ler publicações de antropologia, quando posso. Sou fascinada por pessoas e culturas.

— Você lê muito?

— Muito. Leio revistas sobre a natureza, publicações científicas e livros. E tento transmitir à minha filha esse amor pela leitura. Quando saímos para caminhar, eu costumo levar um livro sobre a fauna e a flora que encontramos. E não é apenas para que minha filha adquira conhecimento. Eu adoro aprender coisas novas.

— Parece que você tem mesmo uma paixão pelo aprendizado.

— Nunca tinha pensado nisso dessa maneira, mas, agora que estamos falando a respeito, acho que você tem razão.

Pela primeira vez eu vi Susan sorrir.

— Se minha filha estivesse aqui, ela diria que eu sou uma *nerd* — prosseguiu ela.

Tínhamos chegado lá. A filha de Susan sabia o que ela própria nunca se dera o trabalho de entender. Susan adorava aprender. E para alinhar seu trabalho com sua verdadeira individualidade, era preciso que ele tivesse como foco a sua paixão por adquirir conhecimento.

Mas essa paixão pelo aprendizado era apenas um dos três elementos da equação. Para desvendar o seu dom, Susan também teria de descobrir seus valores e seus pontos fortes.

Os valores de Susan

— Existe alguém sobre quem você tenha lido ou que tenha conhecido que lhe causou uma impressão profunda? — perguntei a Susan.

— Sei que pode parecer estranho, mas a única resposta seria Gandhi. Não pelos motivos que você pode imaginar, mas sim porque ele sabia quem era e era capaz de impor seus valores a si e aos demais.

— O que você quer dizer?

— Gandhi não se deixava pressionar, apesar de ser um homem pequeno. Ou seja, qualquer um podia dar-lhe um safanão e jogá-lo no chão, mas lá no fundo, onde realmente importa, ele sabia ser firme. Dizia a verdade, sem qualquer pretensão, quaisquer que fossem as conseqüências. A maioria das pessoas está preocupada com as aparências. Gandhi não estava nem aí para o que as pessoas pensavam dele. Não tinha fingimento. Sua preocupação era ser verdadeiro consigo mesmo.

— Você alguma vez foi pressionada?

— Está brincando? O tempo todo. Eu era a menor de três irmãs. Minha irmã do meio, Dorothy, era dois anos mais velha e estava sempre pegando no meu pé. Ficava me aborrecendo, torcendo o pescoço das minhas bonecas e espancando meus animaizinhos de pelúcia. Tive de aprender a me defender. Eu tinha medo dela. Mas aprendi a não permitir que o medo domine a minha vida. Estou melhorando muito.

— E Gandhi serviu de exemplo para você?

— Ele se arriscava para ser ele mesmo. Arriscou a própria vida. Arriscou sua família. Era um homem de espírito, de alma. Era autêntico.

— E autenticidade é o que importa para você?

— Sim, naturalmente — respondeu Susan com convicção. — Se você não pode ser você mesmo, está apenas fingindo viver. A gente tem de ser capaz de expressar sinceramente aquilo em que acredita, nas palavras e nos atos. Gandhi sabia disso.

Os pontos fortes de Susan

A paixão de Susan era a vontade de aprender, e seu maior valor era a autenticidade. O desafio consistia em descobrir o ponto em que as duas coisas se encontravam. Se fosse capaz de fazê-lo, Susan certamente encontraria a inspiração que estava procurando no trabalho. E, se conseguisse canalizar seus pontos fortes nessa direção, poderia verdadeiramente começar a dar ao mundo a contribuição que tão desesperadamente queria oferecer. Encontrar esses pontos fortes era a última etapa do processo de revelação do dom de Susan.

Felizmente, seu ponto forte não era tão difícil de encontrar. Ela era uma pessoa excepcionalmente observadora. Não gostava apenas de observar as pessoas, as plantas, a vida selvagem, como sabia fazê-lo muito bem. Além disso, essa capacidade fora formada e apurada nas muitas vezes em que ela se dedicou à observação dos animaizinhos em suas caminhadas ou na praia, assim como à interação entre as pessoas em seus horários de almoço. E era uma capacidade da qual Susan já havia feito bom uso no trabalho, atentando para as necessidades do chefe e agindo diplomaticamente na complicada política com que se defrontava diariamente no escritório.

Depois que descobrimos esse ponto forte, as peças do quebra-cabeça de Susan finalmente se encaixaram. Seu ponto forte era a capacidade de observação. Sua paixão era o aprendizado. Ela valorizava a autenticidade acima de qualquer coisa. Susan encontraria o seu dom num campo que envolvesse aprendizado, lhe permitisse expressar sua individualidade com autenticidade e fazer pleno uso de sua capacidade de observação.

Em nossos encontros posteriores, Susan e eu começamos a examinar várias possibilidades de carreira. Ela pesquisou sobre várias delas. Perguntou a amigos e parentes o que achavam que ela gostaria de fazer. Por fim, Susan decidiu por uma carreira como professora de ciências para alunos do ensino médio — uma carreira que implicava o estudo e o ensino de biologia e química; que lhe permitia ser honesta consigo mesma, seus alunos e seus colegas; e que utilizava sua capacidade de observação. Sua caminhada até chegar à idéia de uma carreira constituiu em um longo percurso. E, quando Susan deixou meu consultório naquele dia, seus passos a conduziram para um caminho que ela mesma havia escolhido. Finalmente ela estava livre para empreender sua jornada.

Esculpa sua obra-prima particular

Podemos encontrar nossa obra-prima particular se entendermos onde é que nossos valores, paixões e pontos fortes se cruzam. A partir desse lugar de poder, conseguimos esculpir a vida que realmente desejamos. Mas, primeiro, é necessário cavar muito fundo dentro de nós mesmos. No Capítulo 1, aprendemos como descobrir nossos valores pessoais e liberar nossas paixões. Mas se não os combinarmos a nossos pontos fortes — no caso de Michelangelo, a "mão obediente à mente" e para Susan, sua capacidade de observação —, não seremos capazes de revelar nossos dons e criar a vida extraordinária que buscamos.

Identifique seus pontos fortes

Para estabelecer quais são seus pontos fortes, responda às seguintes perguntas:

- Em quais áreas as pessoas buscam o meu aconselhamento?
- O que faço melhor em meu trabalho?
- Quais as habilidades que desenvolvo em meu tempo livre?
- Que atividades me dão prazer pelo simples fato de exercê-las?
- Em que sou naturalmente bom?
- O que costumo fazer para aliviar o estresse? (As pessoas costumam recorrer a atividades em que se saem bem.)

Você encontrará no Apêndice A uma série de pontos fortes para ajudá-lo a criar a sua lista. Observe que as paixões e os pontos fortes podem sobrepor-se. Por exemplo, você pode ser apaixonado por fotografia mas se satisfazer apenas tirando retratos entre amigos e na família. Mas também pode ser um fotógrafo profissional ou um amador sofisticado que sustenta a mesma paixão pela fotografia e desenvolveu habilidades em matéria de iluminação, exposição, retratos, fotografia esportiva e outras capacitações técnicas e criativas relacionadas à fotografia. Os iniciantes e amadores podem ser apaixonados por fotografia e também, naturalmente, desenvolver uma capacitação mais avançada, sem que a fotografia seja realmente para eles um ponto forte.

Exercícios de descoberta

1. Organize por ordem de importância os pontos fortes que enumerou em resposta às perguntas anteriores, atribuindo o número 1 ao seu maior ponto forte, o número 2 ao segundo em importância, e assim por diante.
2. Escolha três pessoas que o conheçam bem e peça-lhes que façam a lista dos seus pontos fortes. Repasse as respostas com elas, atentando particularmente para as diferenças em relação às suas respostas. Não há necessidade de debater: guarde-as dentro de você.
3. Volte a examinar sua lista em função da resposta desses amigos. Altere a ordem dos seus pontos fortes nos casos em que julgar adequado.

Alinhe seus valores, paixões e pontos fortes

Depois de identificar seus pontos fortes, procure descobrir onde eles se cruzam com seus valores e paixões. Estabeleça essa ligação e estará gerando enorme poder. Com essa descoberta, você dará o importante primeiro passo para a concretização do seu dom e para a realização da sua vida extraordinária.

Exercícios de descoberta

1. Escreva no alto de uma folha de papel seus dois maiores valores, suas duas paixões mais fortes e seus dois principais pontos fortes. Faça diferentes combinações entre os valores, as paixões e os pontos fortes (haverá necessariamente oito combinações.)

2. Defina a área problemática em sua vida (carreira, relacionamentos, equilíbrio da vida e assim por diante). Neste exercício, usaremos a carreira como área problemática, mas o Método Michelangelo funciona igualmente bem para outras áreas.
3. Relacione três a cinco diferentes carreiras que poderiam alinhar-se com cada uma das oito combinações do item 1. Por exemplo, se uma das combinações era formada por harmonia (valor), ensino (paixão) e habilidade física (ponto forte), as carreiras alinhadas poderiam ser professor de ioga ou de ginástica.
4. Ordene as carreiras em função das probabilidades de cada uma atender aos três critérios. As cinco primeiras serão fortes candidatas a serem escolhidas como sua carreira.
5. Entre em contato com pessoas muito bem-sucedidas nessas carreiras. Entreviste-as para descobrir o que é necessário para ter êxito nesses campos e como é sua vida fora do trabalho. Leve em conta esse feedback na avaliação de suas opções de carreira e considere as alternativas que atendam às suas necessidades.

3

Capitalize seus pontos fortes

E o menino continuou a desenhar, uma coisa aqui, outra ali, ainda sem local de trabalho permanente, até que um dia Granacci o levou ao jardim dos Medici em San Marco, que fora adornado com estátuas e figuras antigas por Lorenzo, o Magnífico, pai do papa Leão e um homem que se distinguia por muitas virtudes. Ao vê-las, contemplando a beleza das obras ali encontradas, Michelangelo deixou de freqüentar o ateliê de Domenico ou qualquer outro lugar e, em vez disso, como se fosse a melhor escola de todas nesse ramo da arte, permaneceu no jardim, onde também trabalhava.

Vida de Michelangelo
Ascanio Condivi, 1553.

Muitos de nós gostamos de desenhar um rosto engraçado no guardanapo para distrair as crianças no jantar. Ou talvez simplesmente nos distraímos fazendo rabiscos enquanto conversamos ao telefone. Há inclusive quem considere as atividades artísticas uma paixão. Alguns tomaram aulas de aquarela. Outros passam o fim de semana no campo, à beira do lago, com o cavalete plantado no solo rochoso, lançando óleo sobre tela como o pintor francês Seurat compondo *Um domingo à tarde na ilha de Grande Jallet.* Talvez uma vida de pintor alinhe perfeitamente nossas paixões e nossos valores. Talvez acordemos no meio da noite com o coração cheio de sonhos de ser pintor.

Gostaria de afirmar que uma pessoa assim certamente se tornará um mestre da pintura. Mas é preciso encarar a verdade: certas pessoas, por mais que treinem, nunca serão grandiosas. Ainda que você sonhe em se tornar pintor, e mesmo que esse estilo de vida se adeqüe perfeitamente a você, se não tiver efetivamente talento para a pintura você nunca — mas nunca mesmo — criará uma obra-prima como pintor. Mas para ser pintor, você precisa simplesmente saber pintar.

Para produzir obras-primas em cada um daqueles três campos, Michelangelo tinha de ser um visionário. Precisava ser capaz de ver a obra-prima na pedra, na forma inscrita na tela branca, no prédio que se erguia no solo nu.

Mas a visão é apenas uma parte de seu sucesso. Para ser um artista, é preciso ter talento para a arte. Falando sem rodeios, um artista sem uma mão obediente não é capaz de traduzir a visão em arte.

Para dominar efetivamente sua forma de expressão, Michelangelo precisava de uma coisa: a capacidade de reproduzir com as mãos exatamente o que seus olhos viam. Em seu caso, a mão obediente foi educada no estudo do desenho. Ao desenvolver a destreza e a capacidade de dominar os mínimos detalhes da forma humana na linha de um lápis, Michelangelo aprendeu a traduzir sua visão por meio da mão obediente.

Nascido para desenhar

Na infância, Michelangelo desenhava avidamente. Como aprendiz do famoso artista Ghirlandaio, passava dias e noites trabalhando com papel e carvão. Fosse desenhando as formas humanas ou copiando às escondidas — e não raro melhorando — os esboços de seu mestre no meio da noite, Michelangelo só pensava no aperfeiçoamento do seu olhar e no apuro de sua capacidade de dominar até as mais ínfimas formas nos gestos sutis de uma mão ou nos nervos de um pescoço.

Ainda quando não passava de mais um jovem aprendiz do estúdio de Ghirlandaio, Michelangelo tinha pontos fortes como desenhista, o que o distinguia dos demais. Em sucessivos concursos, seu talento suplantava o dos outros jovens artistas, alguns dos quais trabalhavam há anos com o mestre. E, ao concluir seu aprendizado, Michelangelo dispunha de uma das mãos mais refinadas e obedientes de toda Florença.

Mas o que fez do talento de Michelangelo para o desenho um elemento tão essencial no domínio de várias formas artísticas foi sua capacidade de utilizar esse ponto forte em todo o seu trabalho. Ao esculpir, Michelangelo valia-se de seu talento para desenhar minuciosamente as figuras que via dentro dos enormes blocos de mármore. Ao pintar, sua capacidade de focalizar detalhes permitia-lhe criar obras de imensa complexidade, dando vida, num frenesi de tintas e cores, ao que sua mente podia apenas imaginar. Na arquitetura, as lições de forma, estrutura e proporção aprendidas no estudo paciente e no desenho da anatomia humana permitiam-lhe compreender profundamente as estruturas matemáticas da construção e desenhar com perfeição as plantas arquitetônicas. Em todas essas formas de expressão, Michelangelo utilizava seus pontos fortes.

Jack

Meu primeiro encontro com os clientes costuma ser em meu escritório em casa. Eventualmente, aceito visitá-los na casa deles, no local de trabalho e até, às vezes, conversar pelo telefone, quando o encontro pessoal se torna impossível por questões de tempo ou distância. Jack, contudo, foi uma exceção. Encontrei-o pela primeira vez na floresta, um denso bosque de muitos hectares numa área de preservação a poucos quilômetros dos populosos subúrbios de Nova Jersey.

Jack me fornecera instruções detalhadas para que o encontrasse ali. Antes de nosso encontro, enviara por correio eletrônico a reprodução de um mapa, desenhado à mão, da trilha que conduz de uma área de estacionamento junto ao bosque a uma pequena clareira a pouco mais de um quilômetro de distância. Como adoro um desafio e também uma boa caminhada no outono, mal podia esperar o momento de encontrar-me com Jack naquele cenário idílico.

Debaixo de um teto de folhas secas, fui percorrendo as ondulantes colinas do bosque, deslumbrado com a beleza natural ali encontrada, tão perto das estradas e dos gramados aparados. Ao cabo da agradável caminhada, deparei-me com Jack sentado no alto de um enorme pedregulho.

Lá de cima, ele me olhou como se fosse uma versão suburbana de Puck, o conhecido diabinho do folclore inglês, balançando distraidamente as botas de caminhada à beira do pedregulho. Um amplo sorriso se abriu em seu rosto. "Bem-vindo à Floresta Prateada", disse então.

Defenda a sua terra.

Sentado ali com ele debaixo do sol de outono, lembrei-me de que, três anos antes, a Floresta Prateada quase se transformara no Condomínio da Floresta Prateada, um gigantesco projeto habitacional de luxo. Na época, um grupo de empreiteiros e construtores tentara substituir os carvalhos e abetos por pistas asfaltadas e residências coladas umas às outras. E dava para entender por quê: a Floresta Prateada era uma verdadeira terra virgem, uma área de enorme extensão em que um bom loteamento poderia render centenas de milhares de dólares por hectare.

Mas embora desse para entender por que os empreiteiros locais queriam urbanizar a Floresta Prateada, era mais fácil ainda concordar com as pessoas — entre elas Jack — que se opunham à perda daquele oásis silvestre.

Desde o momento em que o nome da Floresta Prateada foi inscrito pela primeira vez em contratos imobiliários, Jack começou a agir, juntamente com o escritório de uma entidade ambiental nacional. Num de seus encontros, um membro do grupo, que na época vivia nas proximidades do bosque, informou que agrimensores estavam instalando postes naquela área.

Jack ficou muito tenso, com medo do que poderia acontecer. Já conhecia aquele tipo de situação desde a infância, passada ali mesmo. Levantou então a mão e tomou a palavra para fazer uma proposta. O grupo precisaria investigar para descobrir o que estava acontecendo realmente na Floresta Prateada.

O progresso não se mede pela quantidade de shopping centers.

Desde menino Jack se interessava pela preservação ambiental. Crescera nas proximidades daqueles bosques dos subúrbios de Nova Jersey e, ao mesmo tempo que assinalava o aumento da própria altura no portal do seu quarto, as cidades próximas também cresciam. Cidades que outrora mal chegavam a mil habitantes logo estariam abrigando dezenas de milhares de pessoas. Shopping centers começaram a pipocar na paisagem para atender aos novos habitantes, interessados em viver num ambiente que combinasse as vantagens da natureza e da urbanização.

Nessa época, a família de Jack se envolvia em ações comunitárias. Seus pais participavam de reuniões da prefeitura pra debater os riscos que a expansão gerava para o ambiente natural, e muitos jantares para discutir essas questões entravam pela noite, contribuindo para conscientizar Jack dos desafios enfrentados pela comunidade.

Mas ele não se preocupava em consultar documentos legais na biblioteca local; apenas brincava naquele bosque que, mais tarde, se tornaria para ele uma paixão.

Depois das aulas, ele e os irmãos costumavam dirigir-se à pequena floresta próxima de casa. Lá, organizavam fortes nas fendas das rochas e travavam batalhas até a hora do jantar. Com os joelhos das calças jeans marcados pela lama, contavam então suas aventuras para o resto da família.

Nas noites quentes das férias de verão, Jack e os irmãos às vezes nem voltavam para casa. Com sacos de dormir amarrados nas mochilas, penetravam ainda mais fundo no bosque e acampavam sob as estrelas. Deitado no chão, Jack contemplava as constelações, maravilhado com a imensidão da natureza.

Apesar de todas as mudanças a que assistira, Jack nunca perdeu essa capacidade de se maravilhar, esse gosto pelo lúdico, ou tampouco a paixão que sentia pela floresta da sua infância. Mas os caminhos de sua vida não o conduziram diretamente ao trabalho com essa paixão da vida inteira, o meio ambiente.

Alinhe sua carreira com seus valores e paixões.

Vendo Jack no alto daquele pedregulho na Floresta Prateada, parecia difícil acreditar que ali estava o diretor de marketing de uma das cinco maiores empresas de contabilidade do país. Naturalmente, essa desarmonia podia ser precisamente o motivo pelo qual estávamos nos encontrando. Jack dera-se conta de que sua carreira estava completamente desalinhada de seus valores e paixões.

A carreira de Jack foi construída com perseverança, subindo a ladeira do sucesso. Ele se formara numa importante escola de letras, com um diploma duplo de inglês e filosofia. Embora tivesse se destacado em seus cursos, aqueles diplomas o deixavam, nas palavras de sua mãe, “duplamente sem emprego”. Não se deixando intimidar pelos percalços habituais da vida, Jack tratou de buscar um caminho próprio para encontrar trabalho.

A iniciativa muitas vezes é recompensada.

Identificando a comunicação como seu ponto forte, Jack encontrou seu primeiro emprego como redator técnico numa empresa de tecnologia. Com um senso de iniciativa inato e tendo tido a sorte de viver numa comunidade pequena em que as idéias ousadas eram estimuladas, Jack logo se mostrara capaz de criar oportunidades para canalizar suas habilidades. Vendo que a empresa onde trabalhava não tinha um boletim informativo, ele decidiu pôr mãos à obra e criá-lo. Logo gerou uma série de ferramentas de comunicação entre os funcionários. Quando se deu conta, Jack já ocupava as funções de gerente de comunicações da empresa.

Vendo que ali se abria caminho para uma carreira e desejoso de garantir a segurança financeira da família a longo prazo, Jack começou a traçar seus rumos profissionais para o futuro. Surgiu uma oportunidade de ocupar o cargo de gerente de relações públicas numa empresa do setor aeroespacial. Consciente de que precisaria mesmo de mais experiência em gestão e relações-públicas para alcançar sua meta de assumir a direção de comunicações e a vice-presidência de uma grande empresa, Jack agarrou a oportunidade.

As coisas melhoraram ainda mais quando sua empresa conseguiu o contrato do ônibus espacial. Trabalhando no lançamento do ônibus, Jack pôde incorporar em seu emprego o antigo fascínio pela natureza. No trabalho de relações-públicas dos testes de vôo do ônibus espacial, ele viajava por todo o mundo, dando notícias sobre os avanços do projeto. Chegou inclusive a ir a Washington fazer campanha pelo programa no Senado americano. Enquanto isso, ia aperfeiçoando as habilidades de comunicação que o ajudariam no futuro.

Trabalhando em estreita colaboração com o vice-presidente de comunicação, Jack aprendeu importantes lições em matéria de motivação de equipes, para cumprir metas nos devidos prazos, e acompanhamento de diferentes projetos simultaneamente, em meio aos complicados sistemas de uma complexa organização multinacional. Além disso, como tinha de tratar também de questões de comunicação externa, foi introduzido num terreno completamente novo de seu campo de trabalho.

**Todos nós precisamos nos revigorar,
caso contrário, acabamos estressados.**

Mas, apesar de esse emprego tão estimulante permitir o exercício de seus pontos fortes, ele não era suficiente para manter Jack com todo o pique. Naquele clima competitivo e estressante, ele acabou esgotado. E, embora conseguisse renovar suas forças mantendo-se ativo em várias frentes de ação ambiental, esse trabalho não ocupava uma posição central em sua vida e, por isso, ele sentia que faltava algo. Pois, afinal, a paixão de Jack não era só o deslumbramento com a natureza, mas também a possibilidade de contribuir de alguma forma para sua preservação, que representava para ele um valor fundamental.

Jack descobriu o que realmente estava acontecendo na Floresta Prateada numa longa tarde passada na biblioteca local. Encontrou ali uma série de documentos relativos a um acordo para a urbanização do bosque. Seus piores temores se concretizavam.

Para investigar melhor, ele e seu grupo compareceram à reunião mensal da câmara municipal. Depois de examinadas as habituais questões de orçamento escolar e interdição de ruas para desfiles cívicos, abriram-se os debates para a comunidade. Habituado ao trabalho de lobby no projeto do ônibus espacial, Jack foi designado pelo grupo para fazer a pergunta: o que estava acontecendo em relação à Floresta Prateada?

Ele subiu à tribuna e lançou uma saraivada de perguntas incômodas. Como os vereadores tentaram se esquivar de suas perguntas com respostas enigmáticas, Jack tirou do bolso uma cópia dos documentos encontrados na biblioteca, perguntando sobre o acordo ali relatado. "Por que a questão não foi levada à população?"

Apanhados de surpresa, os vereadores vacilaram. O coração de Jack batia forte em seu peito.

Ele prosseguiu: "Por que a questão não foi submetida à votação pública?", perguntou.

Os vereadores voltaram a se esquivar com respostas ainda mais vagas, afirmando que ele estava "saindo da pauta". Mas Jack não se deixou intimidar e voltou a questioná-los. Dessa vez, os vereadores pediram que deixasse a tribuna.

E foi então que aconteceu. Um a um, os companheiros de Jack se alinharam por trás do microfone. Um deles deu um passo à frente e fez as mesmas perguntas. Quando este foi calado pelos vereadores, o membro seguinte do grupo deu continuidade ao questionamento, até que cada um deles também foi obrigado a se calar e a reunião foi adiada.

Mas era apenas o começo. Todos os presentes naquela noite sabiam que Jack e seu grupo levariam a questão adiante. Tivera início um movimento.

Capitalize seus pontos fortes para atingir suas metas mais importantes.

A essa altura, Jack deixara seu emprego como gerente de comunicações na empresa aeroespacial, assumindo funções ainda mais desafiadoras numa importante empresa de contabilidade. Subira mais um degrau na escada do sucesso em direção às suas metas de carreira.

Mesmo tendo de assumir novas responsabilidades, Jack dedicava todo o seu tempo livre ao empenho em salvar a Floresta Prateada, valendo-se da capacidade de comunicação adquirida em sua carreira profissional. Redigiu informes de imprensa e convenceu jornalistas locais a publicar matérias sobre a história da floresta, sua importância para o ecossistema do estado e o projeto de urbanização que a apagaria do mapa da cidade. Teve início uma campanha de mobilização da opinião pública, através do envio de cartas. O grupo batia de porta em porta com um abaixo-assinado de protesto. E comparecia às reuniões mensais da câmara municipal para manifestar sua discordância.

O grupo de protesto aumentou. Não demorou, e todo o auditório da Câmara foi ocupado, em suas reuniões, por moradores que protestavam contra a destruição da Floresta Prateada. Os vereadores começaram a parecer constrangidos no início de cada uma delas.

Em agosto, o comparecimento chegou ao auge. Durante todo o mês, Jack e seu grupo vinham promovendo uma campanha para incluir uma proposta sobre o projeto de urbanização da Floresta Prateada no plebiscito de novembro. Seria a última oportunidade de convencer a Câmara a submeter a questão à população.

Quando veio à baila a proposta de votação, mais de cem pessoas se acotovelaram por trás do microfone para manifestar sua preocupação — todas elas ansiosas por salvar a Floresta Prateada. Uma a uma, elas falavam da importância daquele bosque em suas vidas: uns levavam os filhos para brincar em suas trilhas, outros faziam seus exercícios ali toda manhã, e alguns tinham pedido a mulher em casamento à sombra de seus pinheiros.

Jack posicionou-se no fim da fila, para fazer a defesa final da realização de um plebiscito. Falou apaixonadamente, tendo ao lado a mulher e o filho. "Nós somos o povo desta cidade. E nós, o povo, temos de ser ouvidos se há a pretensão de alterar para sempre uma parte tão importante da paisagem dela. Por isto é que estamos aqui hoje, para pedir-lhes que dêem ao povo a chance de votar no próximo mês de novembro a respeito do projeto de urbanização na Floresta Prateada."

Os aplausos prorromperam no fundo da sala, avançando numa onda. Marteladas foram dadas na mesa para conter os ânimos e restabelecer a ordem. Finalmente, procedeu-se a votação, manifestando-se os vereadores um a um sobre a proposta. Deu empate. O prefeito decidiria se haveria o plebiscito, pondo fim ao impasse e decidindo o destino da Floresta Prateada. A sala mergulhou em silêncio e expectativa. Seu voto foi positivo.

Dê continuidade a seus êxitos com renovada energia.

A campanha de Jack dera certo. A proposta de referendo vingara. Valendo-se de sua capacidade em matéria de marketing e comunicação em perfeita sintonia com seus valores e paixões, Jack conseguiu mobilizar a cidade na defesa da Floresta Prateada. Agora, tão próximo à votação, não havia tempo para descanso. Seu trabalho para salvar o bosque aumentou em velocidade e força.

Nos meses subseqüentes, a motivação de Jack no trabalho diminuiu em comparação à sua paixão pela preservação ambiental. Ele subira mais um degrau na escada do sucesso: diretor de marketing do setor de produtos químicos e farmacêuticos. Suas metas profissionais de prosperidade e reconhecimento se tornavam realidade, mas ele começou a sentir que a vida não era apenas esperar um contracheque gordo no fim do mês e eventualmente ganhar do patrão um tapinha de aprovação nas costas.

Ao contrário do que acontecia no emprego anterior, onde seu espírito empreendedor era valorizado e recompensado, nessa empresa de contabilidade os slogans sobre espírito de equipe publicados no boletim interno não se refletiam no dia-a-dia do escritório. Na realidade, cada departamento era uma área isolada, gerida por chefes possessivos — os sócios da empresa. E esses departamentos estavam eternamente em conflito, disputando acirradamente território e recursos.

Enquanto isso, a disposição de Jack de liderar a causa da Floresta Prateada não contribuía exatamente para torná-lo popular entre seus superiores no trabalho. Ele fora advertido a diminuir suas atividades extracurriculares, pois a empresa fornecia serviços de contabilidade a uma das grandes empreiteiras.

À medida que se deterioravam suas relações no trabalho, aumentava o esforço necessário para continuar indo para o escritório. Ao acordar pela manhã, ele pensava apenas em fugir. Às vezes, Jack ficava longos minutos debaixo do chuveiro, desejando que pudesse continuar ali até que fosse levado pela água.

Ao se aproximar o mês de novembro — e também a decisão sobre o destino da Floresta Prateada —, Jack não precisava esperar o resultado do plebiscito para saber qual seria seu destino. Não era apenas a Floresta Prateada que precisava ser salva, mas ele próprio.

Em meio a boatos de demissões que circulavam na lanchonete da empresa, Jack descobriu sua rota de fuga. Sabendo que se tornara motivo de atrito na firma, ele admitiu para si mesmo que sua partida seria bem-vinda. Entrou então na sala do chefe e disse ousadamente: "Se me oferecer uma boa proposta, vou embora sem criar caso." Quando se deu conta, estava diante de uma proposta que lhe daria tempo e segurança financeira para encontrar um trabalho mais satisfatório.

Jack deixou o prédio com uma sacola cheia de objetos pessoais — os últimos vestígios de uma vida que ficava para trás —, entrou no carro e se foi. Ao chegar perto de casa, alguma coisa o impeliu a continuar dirigindo.

Pouco depois, estava alguns quilômetros ao norte, na casa onde havia passado a infância. Estacionando o carro no acostamento da estrada, tomou uma trilha que levava ao bosque onde costumava brincar quando criança.

Enquanto o sol se punha, ele caminhou pela beira do regato onde costumava caçar sapos com o irmão e passou pela rocha que servia de base ao jogo da disputa de bandeiras. Sentou-se num tronco de árvore e se deixou envolver pelo silêncio. Ficou observando o anoitecer, tentando adivinhar se choveria no dia seguinte.

Depois de todas aquelas semanas de trabalho, Jack e sua mulher votaram contra o projeto de urbanização da Floresta Prateada. Bem cedo na manhã seguinte, todos os membros do grupo ambiental decidiram se encontrar numa cafeteria para esperar as primeiras notícias do dia. Quando o caminhão chegou e o motorista os viu ali reunidos ao redor das mesas, o entregador de jornais não pôde conter um sorriso. Assim que ele depositou a pilha no chão, Jack correu para apanhar um jornal. No alto da primeira página do caderno de Cidade, destacava-se a manchete: "COMUNIDADE IMPEDE PROJETO DE URBANIZAÇÃO NA FLORESTA PRATEADA."

Mobilize seus pontos fortes ao mudar de direção.

Quando Jack me contou sua história, aprendi muita coisa sobre aquele homem sentado à minha frente diante da beleza do bosque que ajudara a salvar. Ali estava um sujeito que sabia o que era importante na vida. Um sujeito apaixonado por algo. Mas eu também sabia que ele ainda se sentia inseguro quanto à maneira de transformar seu ideal numa carreira viável — a carreira que sabia ter sempre desejado.

Jack sabia que queria contribuir para a preservação da natureza. Mas não sabia como ganhar a vida fazendo isto.

— Levei toda a minha carreira trabalhando para atingir uma meta, tornar-me diretor do departamento de comunicação de uma empresa. E agora que me dei conta de que não era esta a minha vocação, não sei o que fazer. Quero apenas começar de novo.

— E por que quer começar de novo? — perguntei.

Para Jack, a resposta parecia óbvia.

— Ora, para começar a fazer algo realmente importante. Eu podia ter estudado ciência ambiental, ou podia ter entrado para a política. Podia ter feito uma centena de coisas diferentes.

Nesse ponto, Jack parecia perder o rumo, com as idéias se emaranhando nos labirintos do bosque.

— Como foi que você salvou essa floresta, Jack?

Seus olhos voltaram a encontrar os meus. Um pensamento se formava. O fato é que ele não conseguira salvar a floresta por ter começado a fazer algo que sempre desejara, mas por ter capitalizado seus pontos fortes desenvolvidos ao longo do tempo. Sem sua capacitação no terreno da comunicação — pontos fortes em matéria de redação, comunicação verbal e relações-públicas cultivados em anos de trabalho para empresas importantes —, Jack jamais teria sido capaz de mobilizar uma investida tão bem-sucedida para pôr fim ao projeto de urbanização da Floresta Prateada. Como Michelangelo, ele teve êxito porque dispunha dos pontos fortes e das capacitações para transformar o seu ideal em realidade.

Para dar o mesmo salto em sua carreira profissional, Jack teria de se valer desses mesmos pontos fortes para concretizar seu ideal de preservação ambiental. Ele não precisava começar de novo. Era necessário que começasse a pensar como continuar a mobilizar e expandir seus pontos fortes na busca de seu ideal. Se fosse capaz de fazê-lo, não encontraria apenas uma atividade que lhe permitisse contribuir para a preservação ambiental; encontraria uma atividade em que também poderia salvar a si mesmo. Vamos acompanhá-lo nessa transição em capítulos posteriores.

Michelangelo em crise

Você está em crise. Seu mundo desmorona. Você se sente fraco, confuso, em pânico. Pois anote este conselho: num momento de crise, recorra aos seus pontos fortes. Eles o conduzirão à sua zona de conforto; você poderá começar a pensar com clareza e, então, encontrar o caminho certo.

Michelangelo freqüentemente entrava em crise. Os papas Júlio II, Leão X, Clemente VII e Paulo III eram patrões extremamente exigentes. E, como estavam sempre envolvidos em problemas de guerras e falta de dinheiro, pagavam mal e com atraso, freqüentemente levando o artista a enfrentar problemas financeiros.

Como Michelangelo enfrentava essas crises? Ele se voltava sem titubear para seus pontos fortes: a dedicação incondicional ao trabalho, o extraordinário talento para o desenho e a inabalável fé no amparo divino.

Pressões do patrão

Em 1507, o papa Júlio II, "o papa guerreiro", comandou o exército do Vaticano na conquista de Bolonha. Para comemorar a vitória, Júlio ordenou a Michelangelo que o representasse numa enorme estátua eqüestre de bronze, a ser instalada em frente à Basílica de São Petrônio, que ainda estava sendo construída e deveria se tornar a maior igreja católica do mundo. Júlio deixou claro que o projeto era de extrema importância para ele, o que significava uma enorme pressão para que Michelangelo o executasse prontamente e muito bem. Mas o bronze não era o material preferido de Michelangelo, que não tinha experiência no trabalho com metais.

Vejamos agora uma situação moderna equivalente. A sua chefe faz questão de confiar a você seu projeto mais importante, considerado por ela o legado que vai deixar para o futuro. Mas o projeto é extraordinariamente complicado. Pior ainda, você não tem a experiência adequada, no caso, para se sair bem. Uma crise daquelas. Como evitar a paralisia? Se você for forte em pesquisa, seria bom conscientizar-se disto, acalmar-se e meter a cara nos livros. Seguindo esse processo já bem conhecido, você terá mais possibilidades de se acalmar e se concentrar nos próximos passos.

Em caso de crise, recorra a seus pontos fortes.

A reação de Michelangelo à crise era mergulhar no trabalho de desenho e pedir orientação a Deus. Ele mesmo resumiu o resultado em carta a seu irmão Buonarroto, escrita a 30 de novembro de 1507: "Tenho passado e estou passando por tal labuta que, se mais outra vier assim, não creio que minha vida se prolongue muito. (...) Mas acredito que as orações de algumas poucas pessoas me ajudaram e me mantiveram com saúde, pois era de opinião corrente em toda Bolonha que eu jamais completaria a obra depois do molde; e antes disso, ninguém acreditava que eu chegasse a moldá-la."

As crises mais graves de Michelangelo estavam relacionadas à sua saúde. Vivendo em condições insalubres, em meio à guerra, à fome e a epidemias, ele ficava muito doente com freqüência. Em 1531, Giovan Battista Mini, depois de encontrá-lo "murcho" numa visita, escreveu ao comissário do papa, Bartolommeo Valori, que Michelangelo "ficou incapacitado pela gripe, as enxaquecas e as tonteiras", prevendo que este morreria em breve. Michelangelo reagiu mais uma vez recorrendo a seus pontos fortes, pedindo a Deus que recuperasse sua saúde e redobrando esforços para concluir as estátuas em que vinha trabalhando para a família Medici. Quando se entregava ao trabalho, seus humores orgânicos fluíam. Ele encontrava na atividade profissional um poder de cura. Michelangelo, que tinha então 56 anos, viveria mais 33.

Maggie

Maggie acabara de completar 50 anos. Tinha um bom emprego no campo da pesquisa de mercado e um casamento bem-sucedido, com dois belos filhos. Seu filho Josh, de 22 anos, estava para se formar na faculdade, e a filha Lisa, de 25, ia se casar. Maggie estava ajudando-a a planejar o casamento.

Muita gente, na mesma situação, estaria apenas agradecendo sua boa sorte, batendo na madeira ou, no caso da fé judaica de Maggie, afastando o mau olhado com o tradicional "pu-pu". Mas Maggie estava focada em coisas maiores. Cinqüenta anos significavam a chegada da meia-idade, e ela tinha a ambição de abrir sua própria empresa de marketing. Mas ficava apreensiva com os riscos envolvidos. Era, sob muitos aspectos, uma pessoa conservadora, que gostava de segurança. Por outro lado, se pretendia abrir um negócio próprio, achava que tinha de ser agora. Procurou-me, então, em busca de ajuda.

Começávamos a examinar os possíveis riscos e recompensas da vida empresarial quando o mundo de Maggie desmoronou. Continuamos com nossas sessões, fazendo alguns progressos aqui e ali. Mas, na maior parte do tempo eu me limitava a apoiá-la em seu esforço para superar mais um dia.

Seu filho, Josh, recebera um diagnóstico de linfoma — tipo de câncer que quase sempre é fatal — no peito.

— Estou com tanto medo que fico praticamente paralisada — disse ela.

Em geral, quanto mais sabemos, menos temos a temer.

— Talvez se você se informar sobre a doença de Josh a pressão alivie — sugeri. — Pode usar o talento para a pesquisa, que lhe ajuda tanto no trabalho, para descobrir o que pode fazer por ele.

Maggie se animou um pouco.

— É uma idéia — disse. — Geralmente, quanto mais me informo sobre alguma coisa, mais à vontade fico. Quando sei pouco ou nada é que enlouqueço.

Maggie, então, pesquisou na internet para descobrir o que fosse possível. Ficou sabendo que, embora o linfoma possa ser fatal, muitas pessoas se recuperam completamente. Presumindo-se que o diagnóstico de Josh estivesse certo, suas chances estavam acima de cinqüenta por cento.

Maggie e seu marido, Steve, precisavam de uma segunda opinião. Outro projeto de pesquisa para ela. Maggie descobriu que o ex-marido de sua irmã estava noivo de uma oncologista pediátrica.

— Eles se separaram sem brigas, e ele ainda freqüenta reuniões da família com os filhos — explicou Maggie. — A noiva dele ajudou muito. Recomendou-me a um amigo, um especialista em linfoma no hospital Monte Sinai, que tem, segundo descobri em minhas pesquisas, uma das melhores clínicas de oncologia do país. Ele se mostrou extremamente receptivo e recebeu Josh em apenas dois dias. Depois de alguns exames, confirmou o diagnóstico. Foi muito bom e atencioso, e respondeu a todas as nossas perguntas. Decidimos que ele seria o médico que cuidaria de Josh.

Mas a dura realidade da doença e a possibilidade de que Josh não sobrevivesse começavam a se fazer presentes.

— Esta foi uma das piores noites da minha vida — disse Maggie. — Fiquei tremendo na cama a noite inteira. Simplesmente não conseguia ter nenhum pensamento positivo. Sentia apenas medo.

Conversamos sobre quais pontos fortes Maggie poderia utilizar para enfrentar a crise. Além da pesquisa, havia sua habilidade em se relacionar, sua resistência, seu senso de humor e a fé em Deus. Ela poderia contar com tudo isto para sentir-se mais forte frente à crise.

Mas primeiro precisava se acalmar. Perguntei-lhe se queria que eu preparasse para ela uma fita cassete de visualização. "Ficaria realmente muito grata por qualquer coisa que me aliviasse as idéias", disse. Mais tarde, ela me diria que aquela fita fora uma das melhores ferramentas que encontrara para enfrentar o problema de Josh.

Na fita, eu sugeria a Maggie que pensasse em Josh no futuro. Que pensasse nele conversando com grupos de pessoas e contando-lhes como vencera seu problema e crescera como pessoa. Que se visualizasse dançando com Josh no casamento dele, daqui a cinco anos. E que pensasse em si mesma no consultório do médico, dizendo a Josh: "Você está curado!" E também, que imaginasse seu filho dentro de uma bolha, brilhando à luz do sol, recebendo sua energia curadora. E que visualizasse Josh, calmo e curado, boiando com ela num lago.

Maggie também buscou apoio na comunidade.

— Meu marido e eu temos um relacionamento muito bom, mas acabou ficando muito doloroso conversar com ele sobre essas questões. Era mais fácil conversar com pessoas que não estivessem tão próximas — disse ela. — Depois da doença de Josh, eu não conseguia mais dormir — prosseguiu Maggie. — Acordava muito cedo. Então fui assistir ao primeiro serviço na minha sinagoga. As pessoas se mostravam muito simpáticas e acolhedoras. No início, eu sentava e apenas chorava. Um dos freqüentadores tivera câncer e conseguira sobreviver. Outro tinha um filho que tivera câncer antes de entrar na faculdade e se recuperara. E eu conversei com eles, o que ajudou.

— Sou muito fatalista — prosseguiu Maggie. — Não fiquei com raiva. Nunca perguntei: "Por que eu? Por que Josh?" Na verdade, quando uma amiga comentou: "Isto não podia ter acontecido ao Josh", eu respondi: "Quer dizer então que devia ter sido o filho de outra pessoa?" As coisas são como são. Eu realmente acreditava que Deus tinha o poder de curá-lo, se isto estivesse nos planos Dele.

Maggie acreditava no poder da oração.

— Eu falava do problema a todo mundo que conhecia e pedia a todos, qualquer que fosse a religião, que rezassem por ele. E naturalmente rezava para que ele ficasse curado — contou. — Mas nas minhas orações pedia também que todos fôssemos fortes para poder passar por aquilo.

Não subestime o poder de suas convicções.

O diagnóstico de Josh foi dado em julho, e felizmente, nesta época, as atividades diminuíram na empresa de Maggie. Seu chefe mostrou-se compreensivo, dando-lhe uma licença de dois meses para ficar ao lado de Josh e cuidar dele. Josh começou o tratamento de quimioterapia e reagiu inicialmente bem, mas a prednisona que tomava acabou provocando-lhe alucinações. — Foi muito assustador, ele pensou que estava enlouquecendo — contou Maggie. — Tivemos que procurar um psicofarmacologista, que diminuiu a dosagem.

Maggie pesquisou então sobre grupos de apoio, e Josh foi a um deles.

— Foi terrível — ela relatou. — Havia muita gente em estado terminal, e era horrível para ele ouvir o que contavam. — Mas ela acabou encontrando um programa que o aproximou de outra pessoa de sua idade com diagnóstico semelhante e que conseguira superar a experiência. O que foi de grande ajuda.

— Tenho andado meio mística e tentei levar Josh a um hipnoterapeuta e a um terapeuta floral, achando que poderia ajudá-lo. Mas ele não se interessou. Um amigo me deu um excelente conselho: "Ele tem 22 anos, não é mais uma criança. Quanto mais você tratá-lo como adulto, melhor. Deixe-o cuidar de si sempre que possível." Foi o que eu tentei fazer: dar um passo atrás, respeitá-lo e deixá-lo tomar as decisões.

Aprenda a estabelecer limites.

Certo dia, Maggie largou-se na poltrona em meu consultório e disse:

— Meus amigos estão me deixando louca. Telefonam e começam a fazer mil perguntas. Não sei por que acham que têm esse direito. Perguntam coisas do tipo "Mas afinal qual é o diagnóstico?" Todos com a melhor das intenções, mas é demais. É muito doloroso. Meu primo que faz pesquisas sobre câncer em Washington me disse que os primeiros 18 meses são o período de possíveis recaídas. Será que eu preciso ouvir essas coisas?

Naquela sessão, trabalhamos com o estabelecimento de limites.

— Você precisa evitar pessoas e situações que lhe roubem energia — recomendei.

Decidimos que Maggie informaria regularmente sua melhor amiga, Joan, sobre o estado de Josh, e que ela passaria as notícias aos demais. Maggie explicaria às pessoas que era muito desgastante para ela responder pessoalmente às perguntas de cada um.

Um momento para dançar

Estava chegando o dia do casamento de Lisa. "Josh queria dar dinheiro de presente, mas eu sugeri que lhe desse um presente de verdade, pensando que, se alguma coisa lhe acontecesse, que Deus nos livre, ela teria recebido dele algo concreto pelo casamento. Claro que eu não disse a ele que o motivo era esse."

Josh vinha fazendo excelentes progressos com o tratamento, de modo que o casamento de Lisa, em novembro, foi realmente um momento de felicidade. Josh fez um divertidíssimo "brinde de irmão" aos noivos.

Na nossa sessão depois do casamento, Maggie estava muito animada, mas também preocupada porque Josh não estava mais acompanhando os amigos, todos eles começando em empregos novos ou fazendo cursos de pós-graduação. Eu lhe disse que Josh podia estar sendo deixado para trás pelos amigos no momento, mas quando concluísse seu tratamento estaria anos-luz à frente deles, por tudo que teria aprendido sobre si mesmo e sobre a vida. Maggie comentou que esta observação ajudava muito, e foi o que aconteceu. "Fico tentando me fixar nessa idéia", explicou.

Com a doença de Josh e o casamento de Lisa, a família de Maggie estivera no centro das atenções. Depois do casamento, Josh comentara: "Pelo menos agora vão nos esquecer um pouco." Mas duas semanas depois ocorreu o acidente.

A hora de chorar

Certa noite, os pais de Maggie, que viviam na Flórida, voltavam para casa de carro. Ao atravessar um cruzamento, foram atingidos por um caminhão. Seu pai talvez tivesse adormecido na direção, ou sofrido um ataque cardíaco. Maggie jamais poderia saber: seus pais morreram instantaneamente. "Quando meus pais morreram, fiquei absolutamente anestesiada. Parecia que ia perder a sanidade mental. Estava devastada. Procurei meu rabino uma ou duas vezes. Ele me recomendou um terapeuta. Cheguei a ir uma vez, mas não achei que estivesse funcionando.

"Pensei muito na morte deles, e o meu lado fatalista imaginava que de certo modo eles tinham morrido para que Josh pudesse viver, por mais estranho que isso parecesse. Agora eles estão lá em cima, e talvez possam ajudar. Mas também me sentia muito culpada. Quando Josh adoeceu, Steve e eu éramos os únicos da nossa faixa etária que ainda tínhamos todos os pais vivos. Temos uma velha tradição de humor negro na família: meu avô era comediante. Steve e eu brincávamos que gostaríamos de trocar um de nossos pais pelo Josh. Uma parte de mim ficou se sentindo culpada pela morte deles.

"Steve, Josh, Lisa e eu discursamos no enterro dos meus pais. No casamento, Josh estava completamente calvo, sem sobrancelhas nem cílios. No enterro, ele se levantou, falou sobre os avós e disse: 'Esta é a última vez em que falarei em público careca. Da próxima vez que fizer um discurso, quero estar cabeludo.'"

Três semanas depois, Josh começou a tossir, um dos sintomas iniciais do câncer. "Eu o levei ao médico, e parecia que ia desmoronar. Estava com tanto medo! Fiquei pensando — Deus me livre! — que Josh estava tendo uma recidiva. E achava que não agüentaria passar por tudo aquilo de novo. Depois que nos separamos, eu estava caminhando pelo corredor e vi uma placa que dizia "Terapia de Câncer". Entrei e perguntei se havia algum grupo de apoio para mães de jovens pacientes de câncer que haviam perdido os dois pais recentemente num acidente de carro. A atendente foi um amor, e disse: 'Meu Deus! Tem uma pessoa aqui, hoje, que talvez possa recebê-la.' Pediu que eu voltasse mais tarde, e ela tentaria me encaixar, o que foi feito. Tive uma sessão maravilhosa com essa assistente social, que acabou nem cobrando pelo atendimento. Devo tê-la visto umas seis vezes. Ela foi absolutamente maravilhosa."

A tosse foi embora, revelando-se apenas parte de um resfriado. Josh continuou melhorando com o tratamento. "Graças a Deus ele se recuperou completamente", disse Maggie. "Está com 31 anos, casou-se e tem um filhinho. Hoje, ele ajuda os outros. Sempre que alguém com câncer pede para conversar com ele, Josh arranja tempo. E se aparece alguma mãe precisando conversar, eu também estou sempre pronta, pois sei pelo que passei."

Encontre força na adversidade.

Graças a sua experiência com Josh, Maggie assumiu uma atitude diferente em relação ao risco, que se estendeu a todas as áreas de sua vida. Ela tinha encarado seu maior medo, a possível morte de um filho, e conseguira sair intacta mobilizando seus pontos fortes. Mais que isto, pois sua confiança na própria capacidade de enfrentar seus piores pesadelos saiu reforçada, assim como sua confiança no futuro. Assim, quando voltamos a discutir se ela devia abrir uma empresa de marketing, constatei que já não estávamos tentando descobrir "se" isso poderia ser feito, mas "como" transformar em realidade a sua idéia.

Nas sessões seguintes, estabelecemos um plano de negócios. Maggie deixou o emprego e abriu a empresa. Os primeiros clientes não demoraram a aparecer, pois algumas das empresas com as quais havia trabalhado decidiram contratar seus serviços, num prenúncio dos êxitos que haveriam de se seguir.

Chegam os cartões de congratulações

Em nossa última sessão, Maggie trouxe uma caixa cheia de cartões de congratulações. "Na comunidade judaica, as pessoas gostam de mandar cartões. Quando Josh adoeceu, as pessoas não se sentiam à vontade para mandar cartões, sem saber como as coisas iam se encaminhar. Mas depois do enterro dos meus pais, quando parecia que era da vontade de Deus que ele ia ficar bem, recebemos cartões por tudo que já havia acontecido: 'Parabéns pelo casamento da sua filha, que Josh se recupere e tenha uma vida longa e maravilhosa.

Nossos sentimentos pela morte dos seus pais.' E eu tinha de responder com outro cartão: 'Obrigada pelos votos de felicidade pelo casamento, obrigada pelo carinho quanto à recuperação de Josh e obrigada também pela amorosa lembrança em relação aos meus pais.'

"Agora eu consigo falar de tudo isso, pois o passar do tempo ajudou a curar a questão dos meus pais, e os meus dois filhos vão muito bem." E ela acrescentou: "Bate na madeira: pu-pu."

Esculpa a sua obra-prima particular

Os artistas têm múltiplas visões. E também têm o talento e a capacidade para lhes dar vida. Dispõem da mão obediente capaz de traduzir sua criação mental em algo tangível.

Não resta dúvida de que a capacidade de projetar uma visão do futuro é essencial para abrir caminho para uma carreira extraordinária, mas também o é para o desenvolvimento dos seus pontos fortes, de modo a concretizar seus planos. Primeiro, você precisa considerar objetivamente o conhecimento e as capacitações que desenvolveu e perceber como eles se adéquam a seus valores e paixões pessoais. Em seguida, terá de avaliar seus talentos e entregar-se ao duro trabalho de desenvolvê-los ainda mais.

Não fosse sua capacidade de desenhar, Michelangelo jamais teria tido êxito como artista, por maior que fosse sua autoconfiança e sua determinação. Se não tivesse desenvolvido seus talentos no terreno do marketing e da comunicação, Jack não teria conseguido salvar a Floresta Prateada. A capacidade de pesquisa e a inteligência social de Maggie ajudaram-na a enfrentar com o filho uma doença que poderia ser fatal.

Faça a si mesmo as seguintes perguntas:

- Quais são meus pontos fortes?
- Que habilidades preciso desenvolver para alcançar o sucesso em todas as áreas da minha vida: carreira, finanças, relacionamentos, ambiente, espiritualidade e outras que sejam importantes para mim?
- Qual seria a melhor maneira de desenvolver esses pontos fortes?
- Que benefícios virão, para mim e para os outros, quando eu conseguir desenvolver meus pontos fortes?

Exercícios de descoberta

1. Examine os pontos fortes que você conseguiu identificar. Tente entender como cada um deles está relacionado à consecução de suas metas. Se o seu objetivo é ter acesso a um novo campo ou abrir um negócio, pesquise para identificar as habilidades e qualificações necessárias. Um bom começo é recorrer à internet para encontrar alternativas. Por exemplo, entrando numa ferramenta de busca com a expressão "carreiras em fotografia", obtivemos 29.200 respostas. É indicado pôr a expressão de busca entre aspas, para delimitar o campo (sem elas, teríamos mais de 34 milhões de respostas). Percorra inicialmente os sites mais bem posicionados, e provavelmente você disporá de informações mais que suficientes para começar a investigar. Relacionamos alguns sites que contêm informações sobre muitas carreiras, além das qualificações necessárias para os respectivos campos profissionais. Consulte no Apêndice B os links para os sites, além

de uma lista de livros recomendados para a escolha de uma carreira interessante para você.

2. Outra ferramenta que vai ajudá-lo a fazer uma escolha de carreira são os testes vocacionais. Nós os utilizamos em nossa prática de preparação e treinamento, e constatamos que ajudam nossos clientes a entenderem com rapidez quais são seus pontos fortes e suas competências. Coaches e organizações que prestam serviços ligados às carreiras aplicam esses testes de avaliação profissional. Certifique-se de que o coach está profissionalmente autorizado a utilizar os instrumentos de avaliação. Na internet é possível encontrar muitos testes gratuitos de avaliação de carreira ou aplicados mediante o pagamento de uma taxa mínima. Não os recomendamos, pois geralmente não há feedback de um profissional treinado e certificado, interpretando os resultados e relacionando-os à sua situação específica.
3. Entreviste três a cinco pessoas que já atuam no campo em questão e que nele obtiveram sucesso para colher informações. A maioria das pessoas gosta de falar do próprio trabalho, e não será difícil obter delas 20 a 30 minutos para tratar do assunto. Você poderá encontrá-las por meio de amigos e conhecidos, lendo artigos ou consultando coaches. Pergunte-lhes o que as atraiu nessa carreira, profissão ou negócio. Descubra que formação educacional, experiências, treinamento, capacitação e credenciais são necessários. Identifique quais foram os fatores mais importantes para o seu sucesso e quais os obstáculos que enfrentaram pelo caminho. Pergunte que conselhos dariam a alguém desejoso de abraçar uma carreira em sua área ou que

esteja começando a se preparar neste sentido. Pergunte que valores e comportamentos contribuíram para o seu êxito. (Seu jeito de ser é tão importante quanto suas credenciais na consecução da sua obra-prima.) Por fim, peça-lhes que recomendem um colega ou alguma outra fonte de informações. Agora que você já sabe do que precisa para ser bem-sucedido, faça uma lista com todas as capacitações, experiências de vida e de trabalho, hobbies, formação acadêmica e experiência profissional de que você dispõe e que possam ser relevantes para alcançar o sucesso na carreira que escolheu.

4. Compare suas atuais qualificações àquelas de que precisa para ter êxito, identificando falhas de formação, experiência, treinamento, credenciais, e assim por diante. A diferença será aquilo que você terá de superar para entrar em seu novo campo profissional e alcançar sucesso. Estabeleça um plano para superar essa defasagem com novas formas de treinamento, diplomas, cursos, experiências e desenvolvimento de capacitações.
5. Sejam as suas metas objetivos para uma vida inteira ou, como no caso de Maggie, uma eventualidade, faça uma descrição detalhada dos seus pontos fortes e descubra aquilo de que ainda precisa para ter êxito para atingir seu ideal. Entenda não só o que precisa ser capaz de fazer, mas também que tipo de pessoa terá de ser para alcançar o sucesso e o domínio no campo que escolheu. Avalie sua inteligência emocional e os progressos que podem ser necessários para gerir sua atual situação. Trate de superar carências na sua maneira de enfrentar a vida em terrenos como a autoconsciência,

a autogestão, a gestão de conflitos e a capacidade de empatia, recorrendo a profissionais como terapeutas, supervisores e coaches, de acordo com suas necessidades. Muitos coaches lhe dão acesso a avaliações que o ajudarão a entender suas próprias formas de comportamento e sua inteligência emocional. Considere também programas educacionais e de treinamento que o ajudem a desenvolver diferentes capacitações para enfrentar a vida.

6. Repasse o seu plano com o seu coach ou qualquer outra pessoa em quem confie, buscando sugestões e feedback para aperfeiçoá-lo.

Agora você está em condições de executar seu plano e aprimorá-lo segundo suas necessidades.

4

Comprometa-se firmemente com seu ideal

Durante todo o tempo de que podia dispor, Michelangelo desenhava às escondidas, sendo por isto repreendido pelo pai e por outras pessoas mais velhas e, às vezes, espancado. Eles provavelmente consideravam que dar atenção a essa arte desconhecida era algo desprezível, indigno de uma família tradicional. À medida que aumentava em Michelangelo o desejo de trabalhar com arte, seu pai deu-se conta de que não poderia impedi-lo de dedicar sua atenção ao desenho, e que não havia nada a fazer.

Vida de Michelangelo,
Giorgio Vasari, 1568.

As obras-primas nascem da adversidade. As esculturas surgem da pedra e, às vezes, como no caso do *David* de Michelangelo, de uma pedra danificada. Grandes obras encontram obstáculos em seu caminho, seja numa pincelada em falso, no mau planejamento, na doença, no desejo de outros de sabotar ou se mostrar críticos e, eventualmente, na nossa própria autocrítica, na crença auto-destrutiva de que uma obra-prima não poderia sair de nossas mãos "incompetentes".

Para criar sua obra-prima e romper os obstáculos que entravam sua carreira e sua vida, é necessário estar comprometido com um processo que envolve criar, fracassar e voltar a criar.

Mais importante que a qualidade do seu compromisso, no entanto, pode ser sua própria confiança. Para realizar sua obra-prima, você precisa estar focado em sua visão, não se importando com o que encontrar pelo caminho. Precisa cultivar a força interior que lhe permitirá superar os inevitáveis fracassos e os obstáculos aparentemente insuperáveis. Acima de tudo, você precisa estar profundamente convencido de que *pode* realizar todas essas coisas.

As grandes obras são uma questão de fé.

Em suma, as grandes obras requerem fé. Não necessariamente uma fé religiosa, mas a fé na integridade da sua visão e no vasto potencial das suas capacidades. Sem isto, é impossível alcançar a maestria. No entanto, uma vez solidificada essa fé, a maestria não só é possível como vem com facilidade.

Ainda na infância, Michelangelo já se sentia comprometido com o ideal de se tornar um artista. Mas seu pai, Lodovico, tinha outros planos para o filho. Ele queria que Michelangelo se tornasse o mais bem-sucedido empresário de Florença.

Lodovico Buonarroti não se conformaria com nada menos que isto. Afinal, embora ele próprio tivesse apenas uma ligação indireta com a família Medici, que detinha o poder em Florença, o nome Buonarroti tinha tradição, ocupava um lugar na sociedade florentina. E eles não eram uma família de artistas! Os artistas eram sujeitos pobres que viviam amontoados em estúdios úmidos, fadados à pobreza e à obscuridade. Os Buonarroti eram uma família tradicional de negociantes. Faziam dinheiro, e não obras-primas!

Infelizmente, quando Michelangelo era criança, a família Buonarroti não estava ganhando muito dinheiro. E Lodovico via sua posição decair, juntamente com a boa estrela da família. Assim, quando Michelangelo deu as primeiras demonstrações de uma inteligência promissora, o pai depositou nele suas esperanças. Mandou-o estudar gramática e matemática.

Lodovico sonhava com um lugar para Michelangelo na mesa farta da elite, como convidado de honra dos Medici — os autênticos representantes da riqueza na sociedade florentina. Um dia, Michelangelo haveria de tornar-se o negociante bem-sucedido que ele, Lodovico, nunca chegara a ser.

Não deixe de seguir suas paixões simplesmente para agradar aos outros.

Michelangelo, contudo, não seria impedido de exercer suas paixões simplesmente para atender aos desejos do pai.

Em meio a seus estudos de gramática, ele reservava tempo para o desenho, passando horas e horas no traçado de figuras, projetos e anatomias.

Lodovico ficava indignado. Quando o encontrava desenhando, o pai tomava a pena de sua mão e rasgava os desenhos. Dava-lhe um tapa no rosto e até o espancava, esperando que o castigo o afastasse dos sonhos artísticos.

Mas Michelangelo encarava os espancamentos como inevitáveis, simplesmente mais um obstáculo em seu caminho. Quando o pai se afastava, ele enxugava as lágrimas e voltava a seus desenhos, com a determinação e a autoconfiança fortalecidas.

Finalmente a determinação de Michelangelo se sobrepôs à vontade do pai. Quando seu amigo Francesco Granacci começou a trabalhar no ateliê de um artista, Michelangelo reuniu coragem para juntar-se a ele. Às escondidas, foi ao estúdio do mestre Domenico Ghirlandaio e convenceu o rude artista a aceitá-lo como aprendiz.

Quando o menino, com o olhar ardendo de entusiasmo, contou ao pai sobre seus novos estudos, Lodovico percebeu que nada impediria Michelangelo de perseguir seu ideal. Com relutância, autorizou-o a suspender os estudos acadêmicos e a começar seu aprendizado com Ghirlandaio.

O mestre nem sempre está com a razão.

No ateliê de Ghirlandaio, um dos principais métodos de ensino era fazer os alunos copiarem as obras do mestre. Quando um aluno se mostrava capaz de fazer uma boa cópia, era autorizado a tomar a natureza como modelo. Só então podia pretender tornar-se um mestre também.

Certa vez, os jovens aprendizes estavam copiando as mulheres envolvidas em panos desenhadas por Ghirlandaio.

Fixavam atentamente as linhas do desenho, tentando reproduzir os volumes dos corpos, as curvas dos dedos, os traços que os panos formavam em seus quadris — sempre de acordo com a pintura original do mestre.

Todos, exceto Michelangelo. Ele não via apenas a obra, via além dela.

Observando um dos originais, Michelangelo deu-se conta de que as pregas do tecido não estavam de acordo com a anatomia do corpo da mulher. Em vez de copiar um desenho que não era fiel ao modelo, e confiante em sua verdade, Michelangelo pousou a pena. Lançou mão do papel com o original, colocou-o diante de si e escolheu uma pena maior. Sua mão começou então a percorrer com segurança o desenho do mestre, ampliando-o e criando uma linha mais espessa para corrigir a prega do tecido de acordo com o corpo que encobria.

Michelangelo tinha não só a audácia de corrigir a obra do mestre como a capacidade de fazê-lo. Ao terminar, os outros aprendizes juntaram-se ao seu redor, cheios de admiração e inveja.

Além da determinação de traduzir sua visão numa forma artística, Michelangelo tinha um fogo dentro de si — um fogo que o levaria a superar qualquer obstáculo e uma total confiança e dedicação ao seu ideal. E embora se pudesse imaginar que esse tipo de comportamento impetuoso atrairia punições, a realidade era bem diferente. A autoconfiança de Michelangelo atraiu a atenção de seu mestre.

Quando o governante de Florença, Lorenzo de Medici, criou uma academia de escultura, encarregou seus homens de encontrar os maiores artistas da época, a fim de descobrir jovens dotados do talento e da convicção para dominarem essa forma artística e se tornarem os maiores escultores do mundo. Ao saber disto, Ghirlandaio indicou Michelangelo.

Com o passar do tempo e obtendo sucesso como escultor, Michelangelo manteve-se fiel a seu ideal, além de conquistar o reconhecimento da família Médici e a posição com que seu pai sempre sonhara. Pois o talento e a autoconfiança de Michelangelo impressionavam todos os que cruzavam seu caminho. Mecenas, artistas, todos aqueles que o viam trabalhar não tinham a menor dúvida de que ele se tornaria o maior artista de sua geração. Quaisquer que fossem os obstáculos à sua frente, nada poderia deter Michelangelo. Ele estava pronto para conquistar o mundo.

Catherine

Um ano antes de me procurar, parecia que nada seria capaz de deter Catherine. Ela trabalhava numa importante empresa de softwares cujo mercado crescia exponencialmente. Os investimentos convergiam para ela. Novas empresas deste tipo brotavam no ramo como cogumelos, quase diariamente. Com sua experiência no trato com clientes, adquirida por meio da gestão de redes de tecnologias de informação em grandes corporações, Catherine era muito solicitada. Logo ela se viu como diretora de relações com os clientes numa nova empresa, com um salário de seis dígitos. Catherine estava pronta para conquistar o mundo.

Mas estávamos na década de 1990, quando os negócios eram um jogo de sorte e especulação.

Inicialmente, o ritmo acelerado das inovações agitou o mercado. Com o surgimento de novas tecnologias e possibilidades de negócios, muitos jovens empreendedores ousados abriram suas empresas. Mas, no decorrer da década, a inovação começou a ser substituída pela agitação temerária.

Surpreendentemente, esses especuladores não intimidaram os investidores nem o mercado. Na verdade, a corrida para os novos negócios adquiriu contornos de histeria, e a bolha da especulação foi aumentando no mercado. Essa bo-'ha não poderia deixar de explodir. E, quando isso aconteceu, Catherine estava exatamente no centro da explosão.

Como veremos num capítulo posterior, Catherine era uma mulher de extraordinária capacidade. Não era simplesmente boa em sua profissão: era ótima. Sua atitude era de sempre viabilizar tudo. Conhecia como ninguém as necessidades do atendimento aos clientes. E era capaz de economizar muito dinheiro para a empresa. Catherine tinha talento.

Nada disso passou despercebido pelo presidente da empresa, que começou a passar mais tempo em sua companhia. Uma vez por semana eles almoçavam juntos, e ele conversava com ela sobre as responsabilidades de seu cargo e o que tinha aprendido na função. No trabalho, consultava-a sobre questões difíceis e às vezes mostrava-lhe como resolver problemas particularmente espinhosos.

Poderíamos considerar que Catherine havia se tornado sua aprendiz. Ela aprendeu com rapidez as questões e processos do trabalho de gestão de operações corporativas. Com sua inteligência, o interesse de aprender e suas diferentes capacitações, Catherine absorveu com rapidez as lições do presidente, e quando ele pensou em vender ações da empresa na bolsa de valores, ofereceu a ela uma vice-presidência e uma gorda bonificação que, somando-se as ações que ela já possuía, fariam dela uma mulher rica.

Certa noite, a caminho de um restaurante, Catherine fervilhava de excitação com a possibilidade de alcançar uma posição tão alta em sua carreira. E a perspectiva de vender suas ações significava uma segurança financeira com a qual ela nunca teria sonhado. Catherine estava prestes a se tornar uma milionária pontocom.

Ela deu a notícia ao namorado enquanto comiam alguns aperitivos. Ele pediu ao garçom uma garrafa de champanhe.

Na época, todos falavam da Nova Economia. Não só a tecnologia havia mudado. A maneira como as empresas alavancavam seu crescimento também mudara. Se até então elas cresciam organicamente, agora o faziam através de fusões e ofertas públicas de aquisição. Como qualquer período de mudanças, era uma época excitante. E também frágil.

A empresa de Catherine estava no momento certo para esse tipo de crescimento ao estilo da Nova Economia. E ninguém se surpreendeu quando seu presidente anunciou uma oferta pública de ações e a fusão com uma empresa estrangeira, para propiciar o crescimento e obter novos investimentos.

No dia do anúncio, Catherine estava com os colegas em meio ao agitado burburinho na sala de conferências. Quais seriam os próximos desdobramentos? O presidente aproximou-se da tribuna. Catherine caiu das nuvens quando ele anunciou que o novo cargo de vice-presidente, que lhe havia sido prometido, seria confiado a um homem menos competente que ela.

Assim funcionava a Nova Economia. Com a fusão e os investimentos que fazia, a empresa estrangeira naturalmente esperava ter voz no processo decisório. Como Catherine viria a saber, essa empresa tinha uma cultura machista em que as mulheres eram consideradas inferiores.

Uma semana depois, Catherine convidou seu mentor para almoçar. Depois da sobremesa, ainda restava uma última questão a ser discutida à mesa: por que passaram por cima dela e quais seriam suas possibilidades futuras na nova empresa.

Habituado a não medir palavras, o presidente inclinou-se para a frente e a olhou bem nos olhos. "Vou falar extra-oficialmente, e se alguém perguntar se eu disse isto, negarei. Você não foi nomeada para o cargo porque a gerência da empresa com a qual nos associamos não considera que uma mulher seria respeitada numa posição de liderança."

A economia podia ser considerada nova, mas certas coisas aparentemente nada tinham de novo. Catherine ficou arrasada. Era um obstáculo intransponível para a consecução de suas metas de carreira. Seu sonho de milhões evaporaram num segundo. E com o sonho se foi também sua autoconfiança.

Mantenha a confiança diante das decepções.

O telefone tocou na mesa de Catherine. Ela atendeu. Do outro lado, o novo vice-presidente pedia uma série de relatórios sobre a conveniência financeira de um novo programa de computação cuja criação ela recomendara. Um número do documento produzido por ela parecia estar errado, fazendo desandar todos os cálculos nas páginas seguintes.

Catherine desligou o telefone e constatou seu erro no computador. A Voz Interior que ela já ouvira outras vezes dizia: "Talvez você não fosse mesmo indicada para a função. Talvez eles tenham tomado a decisão certa."

As conseqüências dos atentados terroristas de 11 de setembro de 2001 assinalaram o início do fim da empresa. Os investimentos esperados não vieram. A empresa encolheu, ficando apenas com um punhado de empregados. Finalmente, Catherine foi demitida.

E assim termina a história da Nova Economia.

Que poderia ela fazer? Seu emprego com um salário de seis dígitos se transformara de repente em desemprego sem dígito nenhum. Ela teria de viver com os rendimentos das quatro semanas de aviso prévio e o pequeno seguro-desemprego.

E não era só Catherine que precisava do dinheiro. Desde a morte de seu pai, sua mãe vivia com ela. Embora ela recebesse uma renda previdenciária, Catherine pagava a grande maioria de suas despesas. Se não conseguisse um trabalho razoavelmente remunerado, ela enfrentaria sérios problemas.

Mas o fato é que Catherine já estava com quase 50 anos, o que já seria um desafio num mercado de trabalho em condições normais, e muito mais no panorama posterior ao 11 de setembro. Os empregadores estavam contratando empregados mais jovens, por salários mais baixos — isto quando contratavam. Talvez a Voz Interior estivesse com a razão. O que ela poderia fazer?

Catherine começou a percorrer a desanimadora trilha da busca pelo emprego. Mas competia com muita gente qualificada, de modo que seu impressionante currículo ficava amontoado junto a centenas de outros. Ela nunca era chamada para entrevistas. As oportunidades não apareciam.

Como pode um aparente desastre ser na verdade a melhor coisa que jamais lhe aconteceu?

Quando Catherine foi demitida, eu já trabalhava com ela há mais de um ano, inicialmente para ajudá-la a progredir em seu emprego anterior, e depois na questão do preconceito que se manifestou após a fusão. Agora a preocupação era estabelecer novos horizontes e um plano para os próximos passos em sua carreira. Em nossa primeira sessão depois da demissão, percebi que ela estava assustada com as perspectivas.

— Você perdeu o emprego — comecei. — Como isto pode vir a ser a melhor coisa que jamais lhe aconteceu?

Catherine ficou calada. Não tinha a menor idéia sobre como responder. Quando conseguiu se manifestar, foi para falar do terrível desafio de encontrar um emprego bem remunerado num mercado de trabalho retraído, e num terreno ainda pior, o das tecnologias de informação. No passado, ela nem precisara redigir um currículo, pois estava sempre sendo solicitada, por causa de sua experiência.

Mudei o foco da conversa das informações que ela já sabia para um futuro possível. Que sonho guardara bem lá no fundo? Expliquei que, com um ideal inspirador, baseado em seus pontos fortes, ela seria capaz de concretizar qualquer coisa que imaginasse, desde que, como Michelangelo, se comprometesse com esse ideal.

Perguntei-lhe o que a inspirava em empregos anteriores, atividades de voluntariado e nos seus hobbies. Sempre muito empenhada em tudo que faz, ela pensou por um momento.

— As pessoas costumam dizer que eu trabalho duro para ajudar os outros a serem mais produtivos. E eu realmente gosto de contribuir, pois dessa maneira eles ficam com mais tempo para fazer as coisas que consideram mais importantes. Acho então que o que me inspira é... — Catherine parou por um momento, e o tom de voz se elevou, para concluir em forma de pergunta — Conseguir ajudar os outros a fazer mais, com mais eficiência?

— E quais as possibilidades que você pode gerar para ajudar os outros a serem mais eficientes?

— Bem, eu sempre quis ter um negócio próprio. Podia abrir uma empresa de serviços técnicos e administrativos. Sabe como é, contabilidade, organização profissional, criação de redes locais, serviços de suporte para usuários de computador, esse tipo de coisa. Seria útil para as empresas se concentrarem em seus objetivos principais de negócios.

Não pude deixar de sorrir. Catherine estava vendo alguma coisa dentro de si. Tinha uma visão de sua obra-prima, ainda que não o admitisse. E ela se alinhava perfeitamente com os valores e os pontos fortes que havia desenvolvido ao longo da carreira.

Acabe com seus demônios interiores.

O ideal de Catherine era abrir uma empresa para ajudar os outros a criar seus próprios negócios, fornecendo serviços técnicos e administrativos que muitas vezes não estão ao alcance de firmas pequenas.

Seu desafio era encontrar determinação e autoconfiança. Era como se eu pudesse ouvir. Dentro de sua cabeça, a Voz Interior continuava a questioná-la a cada passo que dava. Para ter êxito, ela precisaria se munir da confiança necessária para calar a Voz.

— Que idéias lhe ocorrem quando você pensa em abrir um negócio próprio? — perguntei, na esperança de revelar o que a estava sabotando.

Catherine fez uma pausa e ficou ruborizada.

— Bem... fico pensando que não vou conseguir. Quer dizer, como eu conseguiria?

— E por que não conseguiria?

— Bem...

Catherine deteve-se, desviando o olhar para o canto da sala. E ficou calada. Naquele silêncio, eu podia ouvir a Voz Interior enumerando incontáveis razões pelas quais Catherine não merecia ter sucesso, não estava preparada, sempre acabava fracassando e acabaria falhando de novo.

Mas eu também via que ela lutava para superar essa mensagem negativa. Até que finalmente Catherine olhou para mim.

— Acho mesmo que não há um motivo real. É só que eu não me julgo capaz.

— Se o fato de achar que não é capaz é a única coisa que a impede de ir adiante, vamos ver como é que você pode transformar esse pensamento negativo algo que a ajude positivamente.

Reformule sua maneira de pensar.

Ao longo das sessões subseqüentes, trabalhei com Catherine no sentido de reformular sua maneira de pensar para focalizar o que era possível, e não o que estava dando errado aqui e agora. Também tentei ajudá-la a identificar a Voz Interior quando iniciasse seu monólogo diário, para situar devidamente o que ela dizia, reformular suas palavras de um ângulo mais positivo ou simplesmente achar graça ao ouvi-la.

Não era uma tarefa impossível. Requeria apenas vigilância. Ao percorrer as diferentes etapas da criação de seu próprio negócio, Catherine haveria de encontrar a Voz Interior a contestá-la a cada passo, impedindo seu avanço. Nós nos encontrávamos, e eu perguntava o que a Voz estava dizendo. Chegou um momento, inclusive, em que Catherine já começava a dizê-lo sem que eu perguntasse.

A cada vez, discutíamos maneiras de reformular as idéias negativas que a Voz Interior plantava em sua mente. Quando a Voz dizia que ela estava assumindo um risco grande demais, nós contra-atacávamos com a idéia de que também estaria assumindo um grande risco se não o fizesse. Se a Voz afirmava que ela não encontraria clientes, passávamos em revista todos os clientes potenciais que ela já conhecia.

Quando a Voz demonstrava preocupação com seu futuro financeiro e o de sua mãe, examinávamos racionalmente esse futuro, estabelecendo um orçamento e um plano de ação.

Pouco a pouco, estávamos trabalhando para desenvolver a determinação e a confiança de Catherine, o fogo em seu olhar, a confiança de que seria capaz de superar qualquer obstáculo que surgisse.

Ela percorrera um longo caminho. Já havia desenvolvido um plano de negócios. Escolhera o nome da empresa. Programação visual, artigos de escritório, cartões de visita e computadores já estavam resolvidos. Mas os documentos legais de criação da empresa esperavam sua assinatura sobre a mesa. Catherine fez uma pausa e respirou fundo. Era a oportunidade perfeita para que a Voz entrasse em cena.

Começou o monólogo. "É sua última chance, antes de assinar a sentença final de fracasso para o resto da vida. Não me leve a mal, mas estou dizendo apenas o que ambas sabemos. Tudo o que você faz dá errado. Basta ver todas as empresas em que já trabalhou. Perdão, não dá para vê-las, pois não existem mais. Fico tentando imaginar como é que essa história acabaria para você. Podemos resumir numa palavra: falência!"

Enquanto o monólogo prosseguia, Catherine recostou-se na cadeira, contemplando a Voz Interior como se fosse um número cômico de quinta categoria. E achou graça.

Catherine recompôs-se e apanhou a caneta. Num gesto decidido, assinou os papéis. Era, agora, proprietária de um negócio, comprometida com um ideal.

— O sucesso não vem até a gente; nós temos de buscá-lo — lembrou-se de ter ouvido um dia.

Pois agora ela estava pronta para percorrer o caminho que, como veremos adiante, estaria cheio de promessas e tropeços.

Michelangelo *versus* Da Vinci

É necessária muita confiança para competir com os melhores no seu campo. Você precisa acreditar plenamente no seu ideal e dispor-se a expô-lo para todos. Tem de estar convencido de que merece disputar o ringue com o campeão. Como Rocky, o lutador. Como Michelangelo.

Mas é aí que está a diferença. Rocky sabia que não poderia derrotar Apollo Creed. Queria apenas estar de pé no fim da luta. Michelangelo, pelo contrário, se julgava tão bom quanto o campeão ou até melhor.

Não havia a menor dúvida sobre quem era o campeão entre os pintores da Itália renascentista na virada do século XVI. Leonardo da Vinci estava com 48 anos e no auge de sua criatividade. Já havia pintado um dos maiores afrescos de todos os tempos, *A última ceia*, além de mais uma dúzia de outras obras-primas, entre elas *Adoração dos magos*, *A Virgem das rochas* e *A Madona do cravo*. Dali a três anos começaria a trabalhar naquela que é talvez a pintura mais fascinante de todos os tempos, a *Mona Lisa*.

Por outro lado, naquela virada do século, Michelangelo, aos 25 anos, era considerado um mestre da escultura e do desenho, mas ainda não havia criado grandes quadros. Todavia, era capaz de se ver como um grande pintor, se resolvesse seguir este caminho. E a oportunidade de competir diretamente com o grande mestre era boa demais para ser perdida.

Busque oportunidades para exibir seus talentos.

A oportunidade chegou com a ampliação do Salão do Conselho em Florença. Pretendia-se que sua decoração exaltasse a glória de Florença, representando duas batalhas históricas em grandes afrescos. Em 1503, Leonardo foi convidado a pintar a batalha de Anghiari, na qual Florença havia derrotado os milaneses. O pintor decidiu retratar a ferocidade da guerra, com cavalos arremetendo, homens gritando e a disputa patriótica pela posse da bandeira em luta corporal.

Ainda não havia sido escolhido um artista para fazer o outro afresco. A Signoria, a instituição que governava Florença, procurava um pintor dotado de fervor patriótico e gênio artístico. Em maio de 1504, Michelangelo concluiu sua escultura do *David*, destinada a simbolizar a República florentina. Leonardo fazia parte da comissão que decidiu instalar a estátua em frente ao próprio Palazzo della Signoria. Três meses depois, a Signoria resolveu dar a Michelangelo a oportunidade de pintar o outro mural do Salão do Conselho, em frente ao de Leonardo.

Michelangelo foi incumbido de pintar a batalha de Cascina, na qual Florença derrotou Pisa em 1364. Sua abordagem revelou-se completamente diferente da adotada por Leonardo. Michelangelo escolheu um momento em que os soldados florentinos, banhando-se no rio Arno, recebiam ordens para entrar em combate. Seria um momento de expectativa e tensão dramática, comparável ao de sua representação de David, no momento da expectativa de seu confronto com Golias. Mas a cena seria de grande movimentação, com os soldados, apanhados desprevenidos, em grande desordem, apontando em direção ao campo de batalha, saindo apressadamente da água e vestindo os uniformes de combate.

Os esboços de Leonardo e Michelangelo geraram grande expectativa. De toda a Itália, vinham artistas para examiná-los. Por um momento, parecia que Michelangelo e Leonardo pintariam seus afrescos simultaneamente. Mas a conclusão épica dessa grande competição não chegaria a ocorrer. Quando Michelangelo montava seus andaimes e Leonardo começava a aplicar argamassa e tinta na parede, chegaram novas ordens do recém-eleito papa Júlio II, com outras prioridades. Michelangelo deveria embarcar imediatamente para Roma, encarregado de construir um gigantesco monumento, com mais de quarenta estátuas, para o túmulo do próprio Júlio.

Leonardo jamais concluiu seu afresco porque uma tentativa de inovação técnica deu errado. A substância aglutinante que passara a usar nas tintas para pintar com mais facilidade não funcionou bem, e seu afresco começou a se desprender da parede. Enquanto ainda estudava uma maneira de voltar a fixá-lo, foi convocado a Milão pelo rei francês e nunca mais voltou a trabalhar na pintura.

Abrace com confiança o seu ideal e as recompensas virão.

Embora a competição não resultasse nas esperadas obras-primas da arte do afresco, os esboços serviram para influenciar sucessivas gerações de pintores. Raphael, por exemplo, estudou detidamente os traços de Michelangelo, gravou-os na memória e começou a fazer desenhos de nus seguindo o estilo dele.

A autoconfiança de Michelangelo veio a ser recompensada com sua crescente fama como artista. E quando, três anos depois, o papa teve de decidir a quem confiar a pintura do teto da Capela Sistina, só um nome lhe ocorreu: Michelangelo.

Brendan

Na manhã do dia 11 de setembro de 2001, Brendan estava atrasado, correndo para o trabalho. Era assistente de auditoria numa corretora de valores sediada na Torre Norte do

World Trade Center. Seu trem parara duas estações antes da parada final no WTC.

— Nunca vou esquecer. Alguém na plataforma do metrô disse que havia um alerta de bomba Ainda assim, eu subi à superfície, e a primeira coisa que vi foram escombros espalhados por toda a parte. Mais adiante, havia um enorme cubo, que devia ter sido a mesa de alguém que foi parar ali. Olhando para o alto, não pude ver o prédio, só fumaça.

Assombrado com tudo aquilo, ele começou a se encaminhar automaticamente para o local de trabalho, como vinha fazendo há um ano e meio, quando foi detido por um policial, que lhe disse:

— Vire-se e volte para casa.

— Não posso ir para o meu trabalho no World Trade Center? — perguntou.

O policial limitou-se a repetir:

— Vire-se e volte pelo caminho por onde veio.

Brendan caminhou de volta para a estação e conseguiu retornar para casa no Brooklin. Do terraço de seu apartamento, ele tinha uma boa visão da torre onde ficava seu escritório. E agora estava como que hipnotizado, vendo apenas aquela coluna de fumaça negra subindo no céu azul. A televisão e a internet de nada adiantavam: as antenas de transmissão estavam no World Trade Center.

Sua mulher, Kelly, finalmente chegou também, exausta e desarrumada, muito diferente da mulher tranqüila e bem vestida que saíra de casa pela manhã. Ao tomar conhecimento do que acontecera no World Trade Center, ela tentara falar com ele pelo celular, mas não conseguiu. Quando enfim se despediu de um cliente no City Hall para voltar para casa, não havia metrô nem ônibus circulando, nem mesmo táxis. Ela tivera então de caminhar de salto alto até sua casa, rezando o tempo todo para que o marido, com quem se casara há 18 meses, tivesse escapado daquela tragédia. Quando se encontraram, eles simplesmente se abraçaram. Subiram as escadas para contemplar a paisagem de arranha-céus a que estavam acostumados. E a ficha começou a cair. As duas torres tinham desaparecido, e milhares de pessoas haviam perdido a vida nos escombros enfumaçados daquele impressionante símbolo da engenharia e espírito de empreendimento americanos. Brendan poderia ter sido uma das vítimas. Contemplando o horizonte escuro de fumaça sobre a parte sul de Manhattan, ele pensava na fragilidade da vida humana e em sua própria mortalidade. Quantos homens e mulheres que trabalhavam naqueles prédios não poderiam mais se casar, ter filhos e vê-los crescer ou realizar seus sonhos? Na verdade, a vida agora seria diferente em toda a cidade de Nova York. Brendan não sabia ainda que, em questão de poucas semanas, sua vida também seria muito diferente.

Eu o conheci nas caóticas semanas que se seguiram ao atentado terrorista. Alguns dos coaches de nossa associação profissional que se apresentaram como voluntários para conversar com empregados de empresas sediadas no World Trade Center tinham prática em aconselhamento ou terapia do luto. A maioria, inclusive eu, não tinha essa experiência, mas estávamos acostumados a ouvir com empatia e, quando necessário, encaminhávamos as pessoas para os especialistas em aconselhamento do luto. Milagrosamente, todos os colegas da empresa de Brendan escaparam ilesos. Muitos, contudo, ficariam com feridas emocionais. Brendan ficou abalado, mas era uma pessoa pragmática. Comentou: "Acho que existe algum dado mágico no fato de eu ter chegado perto da morte, mas não ter morrido. Claro que estou furioso com quem fez isto, mas é preciso ir em frente." Logo seus planos sofreriam uma mudança de 180 graus.

A vida é um dom frágil; decida-se a participar plenamente dela.

Algumas semanas depois, Brendan me telefonou pedindo ajuda. Pretendia deixar sua empresa, agora sediada em Jersey City, e queria trabalhar comigo no estabelecimento de novos rumos para sua carreira.

Encontramo-nos em meu consultório e Brendan começou a explicar seu dilema. "Eu trabalho para uma grande empresa. Eles realmente cuidaram de todo mundo depois que as torres foram derrubadas. Mas me dei conta de que estava querendo um emprego com mais contato humano. Mesmo antes do atentado, eu já sabia que não podia continuar trabalhando em contabilidade — era muito frio e impessoal. O 11 de setembro me ajudou a entender que a vida é frágil e eu não sei quanto tempo me resta para fazer o que tenho de fazer."

A mulher de Brendan foi convidada para assumir a função de principal assessora jurídica de uma empresa cotada entre as quinhentas maiores do país pela revista *Fortune*, numa cidadezinha do norte do Connecticut. Surgia assim, para Brendan, uma oportunidade natural de ruptura. Ele já tivera duas carreiras: primeiro de cozinheiro, muito insegura financeiramente, e depois de contador, insatisfatória do ponto de vista pessoal. Queria agora explorar comigo novas idéias para sua atividade profissional.

Brendan pensou inicialmente em abrir um negócio próprio, talvez uma loja de jogos e artigos de passatempo, algo que propiciasse a aproximação e o convívio entre pais e filhos.

"Na infância, eu adorava compartilhar atividades e hobbies com meu pai. Nós dois passávamos horas no porão com nosso trenzinho, construindo aldeias, acrescentando novas trilhas e pintando o cenário. Às vezes meus amigos vinham também, e todos se divertiam um bocado. Mas o principal era ficar aquele tempo todo na companhia do meu pai.

"Para mim, meu pai era o maior homem do mundo, mas ele nunca teve muita chance. Trabalhou em empregos terríveis a vida inteira. Ele era estivador, carregava e descarregava navios no porto. Mas era um homem inteligente e forte. Tinha uma firmeza que a gente não encontra mais hoje em dia. Me lembrava Humphrey Bogart ou Jimmy Cagney no cinema. Mas não era do tipo machão, só um sujeito durão, com aquela força tranqüila. Precisava mesmo ser durão para sobreviver como imigrante irlandês tentando sustentar a família em Nova York. Acho que ele tentava ser o pai que não tivera." Brendan não podia mais esconder as lágrimas. "Teve câncer aos 55 anos, e seis meses depois já tinha partido. Eu tinha 25. Gostaria de ter passado mais tempo com ele."

Esteja preparado para mudar de rumo sem perder o impulso.

Brendan e eu nos encontramos em várias sessões, examinando questões de marketing, de logística e de finanças relativas à abertura de um negócio dessa natureza na região para onde ele se mudava. Mas nada disso se concretizaria, pelo menos por algum tempo. Outra mudança de rumos veio alterar seus planos de carreira. Seria, ao mesmo tempo, sua maior oportunidade e seu maior desafio.

Brendan e Kelly tinham 30 e poucos anos ao se casar. A primeira gravidez de Kelly acabou em aborto, causado, segundo foram informados, por uma anomalia da placenta, prenunciando um risco considerável de que ela viesse a desenvolver câncer uterino. Em um de nossos encontros, ele disse:

— Esperamos seis meses, para que ela pudesse fazer exames preventivos de câncer. Finalmente, recebemos sinal verde para tentar de novo. Menos de um ano depois, nossas orações foram atendidas, quando tivemos Connor, nosso lindo menino.

Eu já sabia do Connor. Vira sua foto no cartão de Natal de Brendan, meses antes. Mas agora ficava sabendo dos detalhes sobre o bebê, que era um verdadeiro e inesperado milagre. O rostinho de anjo e o sorriso escancarado demonstravam que era um bebê feliz. Os e-mails de Brendan traduziam a felicidade paterna.

Brindamos ao seu filho, então com seis meses, e Brendan compartilhou comigo a história de sua nova vida e a carreira de "papai que fica em casa".

— Fui criado numa família muito tradicional — começou ele. — Minha mãe sempre estava em casa quando a gente voltava da escola. A única fonte de renda era o trabalho do meu pai. Eu nunca imaginei que Kelly sustentaria a nossa família enquanto eu ficaria em casa.

Perguntei-lhe se ele se sentia à vontade nesse novo papel.

— No início, me senti muito mal. Basta lembrar que meu modelo era o meu pai, e que ele trabalhava no porto. Para ele, ser homem era ser forte, e ser forte significava que você tinha de ganhar o pão cotidiano. E em algum lugar bem lá no fundo isso faz parte de mim.

Não se agarre a suas impressões da infância.

"Mas os tempos mudaram e, ao longo dos anos, alguns acontecimentos modificaram essa visão. Alguns anos atrás, eu namorava uma corretora de imóveis. Na melhor fase de sua carreira, quando o setor imobiliário estava forte, ela ganhava muito mais do que eu. E gostava de desfrutar disso, por exemplo, indo a restaurantes caros ou hotéis de luxo, quando viajávamos, e pagando a conta por nós dois. Eu relutei um bocado em permitir que ela pagasse a minha parte, mas acabei cedendo, por insistência dela. O mercado imobiliário desmoronou ao mesmo tempo em que meu salário de contador subiu. Embora nossas situações financeiras tivessem se invertido, ela não aceitava que eu pagasse os extras. Preferia privar-se deles. Eu pensei muito nisso. Para ela, dinheiro era poder, e quem o tivesse num relacionamento estava no comando. Eu sabia que uma parte de mim tinha o mesmo sentimento, e estava decidido a impedir que ele governasse meus relacionamentos. Esta idéia realmente me ajudou a aceitar a atual situação de "papai que fica em casa".

"Quanto mais eu penso a respeito e vivencio essa experiência, mais à vontade me sinto. Tem a ver com os valores que aprendi na infância com minha mãe. Ela me ensinou que a sua individualidade é mais importante do que aquilo que faz para ganhar a vida ou a quantidade de dinheiro que ganha.

"Considero que o papel do homem na família é atender aos interesses dela. Você tem de cuidar daquilo que sua família realmente precisa. Foi o que aprendi com meu pai. E se a minha mulher ganha o suficiente para que eu não precise trabalhar, o que tenho a fazer é ficar em casa e cuidar do meu filho. De alguma maneira, provavelmente continuarei me sentindo meio estranho por não ser aquele que coloca a comida dentro de casa. Mas, do meu ponto de vista, meu emprego atualmente é me certificar de que meu filho, quando crescer, seja uma pessoa educada, atenciosa, inteligente e bem-sucedida que, diante de escolhas, sempre optará pela mais correta."

— Como é ficar em casa com seu filho? — perguntei.

Brendan refletiu por um momento.

— Agora eu tenho um patrão baixinho, careca e exigente que fala uma língua que eu não entendo mas ainda assim consegue deixar bem claro que eu nunca acerto, exatamente como um *chef* alemão para o qual trabalhei como cozinheiro — respondeu ele, achando graça.

— E você se sente preparado para esse emprego? — perguntei.

— Bem, algumas mães que conhecemos têm dado a entender, por palavras ou atos, que consideram que eu não sei o que estou fazendo. Ser criticado por alguém que não está diretamente ligado à sua vida é difícil para qualquer um, e só posso supor que essas mulheres jamais seriam capazes de fazer com outras mães certos comentários estúpidos que destinaram a mim. Às vezes é bem difícil acertar com o baixinho, mas eu aprendo rápido. Quanto ao fato de ser o cônjuge doméstico, eu costumava brincar que, com diplomas de cozinheiro e contador, algum dia eu seria uma excelente esposa para alguém — prosseguiu ele, enquanto dávamos mais uma boa gargalhada. — Desde muito cedo eu sabia que ia querer ser pai — continuou Brendan —, embora quase tenha perdido a oportunidade. Meu pai e meu avô tinham empregos que a maioria das pessoas recusaria, preocupada em proporcionar aos filhos a melhor educação e as melhores oportunidades na vida. Com o Connor, eu estou passando de uma geração à seguinte. Tive a sorte de me casar não só com a melhor esposa, mas com a melhor *pessoa* que eu conheci. E ela compartilha comigo a responsabilidade de criar e sustentar o nosso filho.

Brendan prosseguiu:

— Kelly e eu conversamos muito abertamente sobre nosso papel como pais. Queremos expor o Connor ao maior número possível de experiências e idéias e observar o que desperta seu interesse. Poderemos, assim, ajudá-lo a cultivar essa paixão, para que ele se desenvolva, se transforme num homem especial e ganhe a vida fazendo algo de que realmente goste.

Perguntei:

— A Kelly alguma vez tem a sensação de que está perdendo alguma coisa por ser você quem fica em casa?

Depois de uma pausa, Brendan respondeu:

— Sim, ela gostaria de passar tanto tempo com o baixinho quanto eu. Mas sabe que no momento a maneira como estruturamos as coisas é a melhor para ele. E é isto que importa para ela.

— E como serão as coisas quando o Connor entrar para a escola? — perguntei.

— Eu posso comprar uma loja de brinquedos. Ou acabar simplesmente levando-o para o treino de futebol. É bem possível que eu continue fazendo o que faço hoje até chegar o momento de ele ir para a faculdade. Kelly e eu temos um contrato recíproco. Minha mãe e meu pai tinham uma idéia muito clara do que cada pessoa devia fazer. E nós estamos perfeitamente convencidos de quais são nossos respectivos pontos fortes na família.

Brendan sabia que era capaz de criar Connor adequadamente. Tinha um ideal para ele e uma visão clara da maneira como desejava educá-lo. E, apesar de viver num mundo completamente diferente daquele em que havia crescido, tinha confiança de que as ferramentas que recebera, através do amor de seus pais, lhe proporcionavam a força e a sabedoria necessárias para cuidar de seu filho.

Tire vantagem daquilo que o destino inesperadamente lhe oferece.

Às vezes, acontecimentos e desafios inesperados tiram nossa vida do rumo, e ficamos sem saber para onde essas mudanças nos conduzem. Michelangelo aceitou com confiança a mudança da escultura para a pintura, para competir com Leonardo na realização de afrescos para a nova sede municipal de Florença. Os famosos desenhos daí resultantes aumentaram muito sua fama como pintor e talvez tenham contribuído para que lhe fosse feito o convite para pintar uma das maiores obras-primas do mundo no teto da Capela Sistina. Depois dos atentados de 11 de setembro, Brendan largou a contabilidade para cuidar do filho em casa, uma mudança de papéis difícil para alguém que sempre se vira como provedor. Mas assumiu esse novo papel com uma confiança que aumenta a cada dia, à medida que via o filho crescer sob seus cuidados.

A nova trilha de Brendan não chegou ao fim, e certamente haverá novos desafios pela frente. Mas ele está convencido de que Connor será o seu legado mais importante. E um filho amado não é, afinal, uma espécie de obra-prima?

Esculpa sua obra-prima particular

Ao alinhar seus valores, suas paixões e seus pontos fortes para descortinar a visão de sua obra-prima pessoal, pode ser que você descubra que o caminho para uma vida extraordinária não é assim tão fácil. É possível que ocorram tropeços e reviravoltas pela estrada. Talvez ela nem seja asfaltada!

Para ter êxito na concretização da sua obra-prima, será necessário comprometer-se com seu ideal, quaisquer que sejam os obstáculos no caminho. Você terá também de reunir a força de vontade para superar todas as dificuldades que surgirão inevitavelmente. Sentir-se confiante de que "pode" e "vai conseguir". Comprometer-se sem vacilação com o seu sonho.

Michelangelo mostrou-se comprometido e confiante ao sustentar o foco de sua visão diante das fortes objeções do pai. Quando o pai dizia "você não pode" ou "você não vai", Michelangelo sabia que "podia" e "iria". Nunca aceitou duvidar de si mesmo.

Em algum momento, todos nós já ouvimos nossa Voz Interior, aquele monólogo negativo que mina nossa confiança. Em nossos momentos mais sombrios, essa Voz pode transformar-se num inimigo sarcástico e derrotista. Mas se quisermos realmente nos comprometer com confiança, temos de encontrar uma maneira de fechar as portas para essa Voz e substituí-la pelo som da nossa vontade.

Encontrar nossa vontade pode ser difícil. Mas se nos mantivermos focados em nossa visão com uma atitude positiva, é possível.

Quando ouvir a Voz Interior, substitua sua negatividade por perguntas que lhe infundam uma sensação de poder. Troque as palavras dela por sua vontade própria. Faça a si mesmo as seguintes perguntas:

- Como será minha vida quando eu conseguir o que quero?
- Como posso assumir a responsabilidade pela criação da vida que desejo?
- Como posso superar os obstáculos ao meu sucesso?
- Como posso encarar essa nova tarefa de outra maneira para vencer esse obstáculo aparentemente insuperável?

Acima de tudo, sustente a visão da obra-prima dentro de você. Tenha confiança. Ela está lá, esperando que você a desvende. E será revelada. Serão necessários apenas tempo e esforço. Empenhe-se com confiança e nada poderá detê-lo.

Exercícios de descoberta

1. Escolha três áreas ou situações em que você costuma ouvir a Voz Interior. Por exemplo, em reuniões de trabalho, reuniões sociais ou quando está deitado na cama à noite. Ao longo de uma semana, tenha sempre consigo um caderninho de anotações e registre todo monólogo interior vivenciado nessas áreas. Faça uma lista dos fatores desencadeadores desses monólogos e dos atos e comportamentos negativos deles resultantes.
2. Decida agora como poderia reformular seu monólogo de maneira a originar comportamentos positivos. Por exemplo, reformule a afirmação "Adoraria ter isto, mas nunca poderei comprar.", transformando-a em "Adoraria ter isto, e vou trabalhar duro para conseguir".
3. Relacione os comportamentos positivos que poderiam ter advindo se você não tivesse dado ouvidos à Voz Interior. Faça uma lista das vantagens de calar essa Voz.
4. Ao longo da próxima semana, continue a registrar as vezes em que ouve a Voz Interior e o que fez para reformular sua maneira de pensar ou calá-la. Quais foram as vantagens que você obteve?

5

Planeje primeiro, e depois apare as arestas

Depois de fazer muitos desenhos detalhados, Michelangelo estava pronto para passar para uma figura tridimensional em argila. Aqui, sua expressão era livre, pois o material podia ser alterado para modelar a forma. Em seguida, ele recorria à cera, pois havia uma semelhança de textura e translucidez entre a cera e o mármore. Mas esses modelos nunca adquiriam contornos fixos em sua mente, permanecendo sempre como meros pontos de partida. A verdadeira pulsão criadora tinha que ocorrer no próprio mármore.

A história da Pietà de Michelangelo
Irving Stone, 1964.

Qualquer planejamento só pode ser feito com os materiais de trabalho adequados. E é aí que está o problema. Muitas pessoas perdem a oportunidade de criar sua obra-prima pessoal depois da primeira inspiração. Esquecem que só podem chegar até o ponto permitido pelos materiais de que dispõem. Às vezes, o material ao seu alcance é o seu próprio corpo ou a sua mente, ou então um equipamento e até as circunstâncias em que se encontra. As pessoas ficam tão ansiosas por iniciar a caminhada que esquecem de planejar os recursos. Michelangelo o sabia, e planejava lançar mão da mais perfeita pedra de mármore que pudesse conseguir.

Considere, por exemplo, a sua *Pietà*. Representando Maria com Jesus morto no colo, a estátua, em tamanho natural, foi encomendada por um cardeal para seu próprio túmulo na Basílica de São Pedro, em Roma. Michelangelo queria mesmo criar uma obra-prima.

Para esse projeto, decidiu que precisaria de um bloco muito grande de mármore branco: aproximadamente 2m de largura, quase 2m de altura e 1m de profundidade. Buscou em toda Roma e nos portos da região, mas não encontrou nada que atendesse a seu alto grau de exigência. Michelangelo estudou então as alternativas ao seu alcance e decidiu viajar a Carrara, a quase 300km de distância, onde se podia encontrar os melhores mármores da Itália. Lá, numa velha pedreira, encontrou o bloco de que precisava.

Mas o mármore para a sua *Pietà* ainda não estava seguro. Agora ele precisava conceber um plano para transportar aquela gigantesca pedra para Roma sem danificá-la. Com apenas 23 anos na época e sem experiência no transporte de pedras muito grandes, ele percebeu que precisaria da ajuda de alguém de sua confiança. Viajou então 80km pelas montanhas para visitar sua família em Florença e obter ajuda de um velho amigo, o experiente pedreiro Michele di Piero Pippo, que o acompanhou de volta a Carrara.

Para que o bloco pudesse ser transportado inteiro para Roma, o amigo recomendou-lhe que o enviasse por mar. O artista mandou cortar a pedra bruta, conduzi-la pelas ladeiras que levavam da pedreira ao mar e colocá-la num navio. A carga ficou então retida no porto até que fosse pago um novo imposto sobre a exportação de mármore branco. Finalmente, o magnífico bloco chegou a Roma intacto, sete meses depois da primeira ida de Michelangelo a Carrara.

Siga o caminho árduo.

Planejar não significa tomar o rumo mais fácil, mas sim encontrar o caminho necessário para atingir a sua meta e ter a determinação de seguir esse caminho até o fim. E em todo plano existem elementos mais importantes que outros. Você precisa decidir quais são esses elementos e certificar-se de que estão sendo cuidadosamente aplicados. Para Michelangelo, a qualidade do mármore que queria usar na sua *Pietà* era de fundamental importância. Não havia atalhos entre Roma e Carrara. Michelangelo fez todo o esforço necessário e com isto possibilitou a criação de sua eterna obra-prima.

Cinco anos depois de concluir sua *Pietà*, aplaudida de forma unânime, Michelangelo empreendeu um projeto ainda mais desafiador, o túmulo do papa Júlio II. Na concepção original, o túmulo deveria apresentar mais de quarenta estátuas. A peça principal seria afinal mais uma das grandes obras-primas de Michelangelo, *Moisés*, que deixou os seus contemporâneos deslumbrados e impressionados. Resumiria Vasari, ele mesmo um grande artista: "Nenhuma outra obra moderna poderá jamais ser comparada às estátuas do mundo antigo. Michelangelo expressou no mármore a divindade que Deus infundiu originalmente na forma mais sagrada de Moisés. Cada parte da obra é acabada com tanta arte que [os visitantes] adorarão algo que é divino, mais que humano." Diz a lenda que o próprio Michelangelo ficou tão impressionado com a obra-prima que atirou nela o seu cinzel e exclamou "Fala!", arrancando do joelho uma lasca, o que ainda hoje é visível.

Contemplando a pedra maciça na qual seria esculpido esse *Moisés*, Michelangelo vislumbrou um personagem fisicamente impressionante, tendo sob o braço direito as tábuas dos Dez Mandamentos e sentado numa atitude de profunda introspecção e sabedoria, inspirando ao mesmo tempo amor e temor com sua expressão facial. Para ver o inspirador líder dos judeus no interior daquela pedra, era necessária uma incrível percepção. Mesmo com a visão, no entanto, a parte mais difícil do trabalho apenas começara. Pois esculpir na pedra apresenta seus próprios desafios, já que não existem dois blocos iguais. Cada pedaço de mármore é extremamente diferente de qualquer outro, na cor, na textura, no padrão e na resistência.

Poderíamos dizer que cada pedra tem sua própria obra-prima aprisionada em seu interior.

Está tudo lá no fundo — uma obra-prima aprisionada.

Imagine novamente que você é Michelangelo de pé em frente ao enorme bloco de pedra em que ele vislumbrou *Moisés* aprisionado. Lá está você, contemplando a pedra. Está decidido a realizar a encomenda e criar um símbolo digno do túmulo do seu benfeitor, o sumo pontífice da Igreja Católica, o papa Júlio II.

Examine bem a pedra à sua frente. Bem lá no fundo, em suas camadas mais recônditas, está a sua visão, *Moisés* — sentado, a cabeça voltada, os ombros fortes e angulosos, os olhos fixos na distância.

Está tudo lá no fundo do mármore, uma obra-prima aprisionada. E você pode libertá-la.

Pense antes de agir.

Arrebatado por sua visão, Michelangelo poderia ter mergulhado de cabeça no trabalho, sendo vencido pelo desafio da pedra. Poderia feri-la com seu malho e seu cinzel sem planejar os golpes. Teria, assim, permitido que sua paixão se sobrepusesse a todo o seu conhecimento da pedra e à habilidade de suas mãos. Em suma, Michelangelo teria permitido que sua visão o cegasse para o que estava bem à sua frente.

Mas não foi o que ele fez. Ele agiu metodicamente, obedecendo a um meticuloso plano.

Primeiro, o artista estudou atentamente o enorme bloco de pedra. Em vez de se preocupar em impor-lhe sua visão, Michelangelo procurou enxergar o que havia de inerente à cristalina estrutura da pedra, permitindo que ela mesma conduzisse, com sua índole própria, o trabalho de revelação dessa visão.

Antes que ele lançasse mão do malho, contudo, era preciso planejar mais. Michelangelo fez centenas de esboços, detalhando cada parte da estátua. Passou então a moldar modelos de argila e cera a partir desses desenhos. Finalmente, satisfeito com os modelos, apanhou o cinzel e a marreta e se preparou para dar o primeiro golpe.

E estava efetivamente preparado. Pois o fato é que Michelangelo primeiro planejava detalhadamente, e só então começava seu trabalho.

No momento em que o malho atingia o cinzel com um fragor metálico, desprendendo da pedra as primeiras lascas, poderíamos perfeitamente, olhando pelas fissuras e buracos no mármore, enxergar o que Michelangelo já vira lá dentro. Poderíamos ver Moisés pronto para ser libertado.

Primeiro planeje, e depois apare as arestas.

Ao tentarmos enxergar como seremos no futuro, é difícil resistir à tentação de mergulhar de cabeça para mudar nossas vidas. O alvoroço causado pelo que vislumbramos pode nos deixar inquietos. Como uma criança na véspera do Natal, não conseguimos dormir, sabendo que lá embaixo há um monte de presentes debaixo da árvore.

Por vezes, essa expectativa pode tornar nossa situação atual insuportável. Se somos capazes de ver com tanta clareza a vida que desejamos, por que não podemos vivê-la agora, imediatamente? Às vezes, simplesmente tomamos a decisão de ir em frente, e é o que fazemos. Tentamos sair do lugar, levar a vida que queremos sem planejar o caminho correto para alcançá-la ou, ainda, sem entender plenamente os contornos dessa nossa visão. É a garantia do pior resultado possível. Não conseguimos concretizar nosso ideal.

Ben

Lembra-se do Ben, que conhecemos no Capítulo 1 trabalhando num banco de investimentos? Depois de nossos primeiros encontros, percebi que ele estava ficando animado. E como poderia ser de outra forma? Ben tinha estado profundamente infeliz naquele emprego. Nem mesmo os gordos cheques de bonificação haviam servido para compensar as longas horas passadas longe da família. E até nossos primeiros encontros, tudo parecia sem esperança para ele. Até que Ben olhou para dentro de si e viu os contornos de uma obra-prima: uma carreira que expressasse suas paixões e seus valores.

Para dizer a verdade, Ben não sabia realmente que detalhes sua obra-prima apresentaria. Pudera apenas distinguir a sombra de seus contornos na pedra. Por mais incerto que se sentisse a respeito dessa visão, contudo, ele sabia que queria revelá-la imediatamente. E, assim, tomou uma decisão sem refletir. Logo descobriria que não podemos simplesmente desbastar a pedra sem um plano adequado para chegar diretamente à visão que descortinamos.

A pior coisa do estilo de vida de Ben no mercado financeiro era a carga de trabalho. Em média, ele trabalhava mais de 80 horas por semana. Pior ainda, nunca podia prever quando precisariam dele. Sua vida era determinada pelos contratos em que trabalhava e pelas prioridades dos parceiros de negócios. De modo que ele tinha de abrir mão de estar presente na festa de aniversário da filha, comemorar seu próprio aniversário ou sair de férias com a família. A qualquer momento, poderia ter de cancelar os planos, por mais importantes que fossem para ele mesmo ou sua família.

Não permita que suas expectativas encubram a verdade.

"Quem sabe, se eu tivesse uma carga de trabalho mais flexível", pensou Ben, "poderia encontrar o caminho para minha obra-prima? Talvez possa criar a flexibilidade de que preciso, mesmo se continuar trabalhando num banco de investimentos."

Logo Ben se convenceria de que precisava apenas ter uma conversa com o gerente de atribuição de serviços, Andre Worthington.

Ao chegar a seu escritório às 8 horas da manhã seguinte, Ben telefonou para Worthington. Deixou então uma mensagem na secretária eletrônica: "É o Ben. Gostaria de agendar um encontro com você hoje. Tenho algumas coisas sobre as quais gostaria de conversar."

Uma hora depois, recebia o retorno da secretária de Worthington. O encontro estava marcado para as 3 da tarde.

Ao longo do dia, Ben se apressou incrivelmente em suas tarefas. Durante o almoço de negócios, observava a conversa com se estivesse numa outra mesa. Era como se já se sentisse deixando para trás aquele mundo de fusões e aquisições. Cortou o bife e deu uma mordida. Parecia muito mais saboroso.

Quando chegou a hora do encontro com Worthington, Ben praticamente deu um salto da cadeira. Às 3 horas em ponto, abriu a pesada porta de carvalho que conduzia ao escritório do gerente e sócio da empresa.

— Sente-se — disse Worthington. Ben ocupou a cadeira aliviado.

E fez então a sua proposta. Explicou como estava sendo difícil equilibrar a vida pessoal e a profissional. Disse que estava satisfeito com o cargo e a remuneração, mas precisava de mais flexibilidade.

Quando concluiu, Worthington estava batendo com os dedos no tampo da mesa. Seu olhar se perdia em recantos aparentemente mais tranqüilos de seu escritório. Ben sentiu que começava a suar nas palmas das mãos. Algo não ia bem.

Finalmente, o olhar de Worthington se voltou para Ben.

— Veja, Ben, entendo perfeitamente o seu problema. Não é tão incomum assim as pessoas começarem a vida profissional nesse campo. Mas pode escrever o que eu digo: quando alguém resolve entrar para o mundo dos bancos de investimento, não recebe apenas um pacote de remuneração: tem de levar o pacote inteiro. Junto com os cheques especiais, as bonificações e os jatos particulares, também vem a falta de tempo para questões pessoais. — E prosseguiu: — Eu sei que é uma adaptação difícil. Eu mesmo tive de me adaptar. E nós podemos ajudá-lo a fazer a transição. Aqui, todo mundo conhece e valoriza o seu trabalho. Tenho certeza de que poderemos encontrar uma solução que funcione para você. Vou conversar com os outros sócios.

Seja realista quando se trata de saber o que pode esperar dos outros.

Duas semanas depois, Ben teve o salário aumentado e recebeu novos cartões de crédito. Ao abrir a correspondência, deu-se conta de que havia sido promovido — mas nada de mudança em sua carga de trabalho. Decidiu, então, que não poderia mais trabalhar em bancos de investimento.

Em qualquer ambiente, sempre que mencionava a possibilidade de deixar de trabalhar no setor, ele era olhado como se estivesse louco. Seu mentor, Peter Simon, a pessoa mais inteligente que conhecia, sugeriu que ficasse mais dois anos "para aprender a trabalhar no ramo". Nos coquetéis, as pessoas olhavam para ele como se tivesse bebido demais. E logo achavam um pretexto para se afastar. Até sua filha agia dessa forma. Certa noite, no jantar, ela lhe perguntou quanto ganharia se continuasse a trabalhar no setor de bancos de investimento. Quando ele mencionou um possível valor, ela engoliu a seco: "Papai, tudo bem se eu não o vir sempre. Prefiro ser rica!"

Ben começou a se perguntar se sua decisão estava certa. Se tantas pessoas não eram capazes de entender o que ele estava fazendo, como ele próprio poderia entender? Talvez estivesse fazendo a escolha errada. Fechou os olhos e olhou para dentro de si. Tentou encontrar a visão de quem poderia ser. Mas só enxergava uma pedra bruta, ainda por trabalhar.

Você está sendo fiel ao seu ideal?

Ao chegar ao meu consultório, Ben era um homem confuso.

— Não entendo o que está acontecendo. Tenho o meu ideal, estou decidido a mudar. Mas agora acho que talvez tenha tomado a decisão errada.

— Por quê?

— Porque todo mundo que fica sabendo me olha como se eu estivesse louco. Especialmente meus colegas. Alguns acham que estou derrotado, que não agüento a pressão do jogo.

— Não acho que seja verdade. Veja bem, quando começamos a trabalhar juntos, ambos sabíamos perfeitamente o que era importante para você. Você dá valor à família, mais que a qualquer outra coisa. E também sabemos que é movido por essa paixão de influenciar positivamente a vida dos outros. Tudo isto continua sendo verdade, não é mesmo?

— Sim.

— Então a única coisa que tem de perguntar a si mesmo é se estará sendo fiel ao seu ideal se continuar trabalhando em bancos de investimento.

— Eu poderia doar muito dinheiro a instituições de caridade!

Eu dei uma risada.

— Claro. E também poderia comprar um esplêndido presente de aniversário para sua mulher e pagar a educação de sua filha sem precisar economizar. Não há nada de errado nisso. Mas seria suficiente? Ser rico é uma coisa. Ter uma vida rica é outra.

— Seria bom ter as duas coisas.

— Mas quem disse que você não pode ter? Vamos trabalhar para isto. Como você poderia fazer o que gosta e ao mesmo tempo ser financeiramente recompensado?

— É a pergunta que não quer calar...

— E a resposta que não quer calar está dentro de você. O que você precisa fazer é planejar com cuidado e criar uma estratégia para encontrá-la. Desse modo, poderemos eliminar as expectativas dos outros e chegar àquilo de que você realmente precisa. Uma vez que o tenha feito, e nesse ponto você precisa confiar em mim, encontrará a resposta que procura.

Mantenha-se focado num plano simples e prioritário.

Naquela noite, Ben trancou-se em seu escritório em casa e ligou o som. Dos alto-falantes, saía a voz de Bob Dylan. “A resposta, meus amigos, é soprada no vento." Talvez não propriamente no vento, sorriu Ben. Tirou uma folha de papel em branco da gaveta e começou a traçar um plano.

Era um plano simples. Primeiro, Ben admitiu que por algum tempo teria de trabalhar ainda mais duro, para cumprir suas responsabilidades atuais e tentar criar novas oportunidades de trabalho. Mas o sacrifício valeria a pena a longo prazo. Afinal, sabia que tudo isso seria feito em nome de seu ideal.

A primeira tarefa que Ben estabeleceu para si mesmo nas horas livres seria fazer uma lista de iniciativas que poderiam interessá-lo.

Ficou olhando para a folha de papel em branco. "O fato é que eu sempre me interessei por imóveis." Não era um capricho passageiro; o interesse por imóveis era realmente um ponto forte no caso de Ben. Na verdade, seus principais projetos como assessor de desenvolvimento do estado haviam sido ligados ao setor imobiliário: desenvolvimento da orla e reurbanização de áreas industriais decadentes.

Os imóveis então encabeçaram sua lista.

Em seguida, Ben começou a comparar: "voltar a trabalhar no governo", "organizações sem fins lucrativos", "ser responsável pelas finanças de uma grande empresa".

Seja criativo ao desenvolver seu plano.

Ben pensou longamente sobre sua lista. Foi então que se deu conta: "Se eu tomar a frente de um empreendimento próprio", pensou, "poderei ficar efetivamente no controle e dispor do tempo que quiser para ficar com a família."

Ben estava chegando lá. Seu planejamento de repente parecia deslanchar. Ele começou a pensar em qual poderia ser o próximo passo. Passou a levar no bolso um caderninho para anotar idéias que fossem surgindo.

Em seguida, Ben passou em revista seus compromissos no setor de investimentos para ver se algum dos contratos em andamento poderia ajudá-lo a alcançar sua meta. Um dos projetos parecia particularmente promissor. Ben fora incumbido recentemente de vender uma empreiteira sediada na Califórnia. Decidiu então que deveria dedicar o máximo de tempo possível a entender os negócios dessa empresa.

O setor imobiliário rapidamente começava a ocupar o centro das atenções de Ben. Mesmo considerando sua experiência em matéria de desenvolvimento urbano, ele tinha consciência de que ainda não sabia o suficiente. Pensou então em se matricular num curso de desenvolvimento anunciado numa universidade local. Mas esta não era uma boa opção, pois seus compromissos de trabalho jamais lhe permitiriam freqüentar o curso. Não sendo homem de desanimar, Ben foi à biblioteca pública e começou a consultar artigos e livros sobre desenvolvimento urbano especialmente voltados para populações carentes.

Em seu caderninho de anotações, Ben também estabeleceu uma longa lista dos contatos que poderia fazer com vistas a possíveis empregos. Havia no total quase cem nomes. Além disso, começou a percorrer os anúncios de empregos nos setores público e privado publicados no *New York Times*.

Concentre-se em seus melhores contatos pessoais.

Certo dia, no verão, Ben jogava *frisbee* com sua filha, Tessa, no Central Park. Em determinado momento, seus olhos se fixaram no perfil dos arranha-céus da cidade, do outro lado do parque. Foi então que um nome lhe surgiu na memória: “Mas como eu não pensei no Jeff?”

Em sua posição, Tessa apanhou o disco e rapidamente o mandou de volta para o pai. O lançamento desenhou uma espiral bem no alto e arremeteu direto para Ben. Direto na sua cabeça.

— Papai! Está dormindo?

— Caramba! Precisava anotar um nome.

Ben pôs o caderninho no bolso e lançou novamente o disco, que zuniu no céu como um satélite rumando para as estrelas.

O nome então anotado por Ben em seu caderno — Jeff, antigo companheiro de quarto na faculdade e ainda hoje um bom amigo — seria o mais importante de todos. Quando voltou a fazer contato, ficou sabendo que ele também estava procurando um novo emprego.

Advogado, Jeff trabalhava como chefe da divisão imobiliária da Defensoria Pública de um estado vizinho, onde se mostrara particularmente eficiente na defesa dos interesses de famílias de baixa renda e de pessoas idosas. Como governador recém-eleito, mais conservador, prometia orçamentos encurtados para os programas sociais, os dias de Jeff no atual emprego certamente estavam contados.

Jeff tentava, então, abrir uma empresa que pudesse explorar as oportunidades para o setor privado nas políticas públicas de habitação para as camadas de baixa renda. Já convocara uma pessoa, Frank, para se encarregar do planejamento, mas estava precisando de um sócio. Marcaram então um almoço.

Ao se encontrarem no Central Park para o almoço de negócios, Ben e Jeff recordaram os velhos tempos e começaram a falar de seus planos. Quando se deram conta de que tinham a mesma missão na vida, a conversa se animou e ganhou um significado especial. No fim do almoço, o sol se punha por trás dos arranha-céus de Nova York. Jeff aparentemente encontrara o seu sócio. E Ben encontrara a chave para concretizar sua visão.

Recorra à sua experiência para pôr em prática o seu plano.

Naturalmente, a idéia de abrir uma empresa teria de ser transformada em realidade, tarefa da qual Ben estava essencialmente incumbido. Ele tinha de traçar um plano, algo a que estava acostumado. Para isto, contudo, precisava mais uma vez encontrar tempo.

Ben conversou a respeito com sua mulher, Amanda, que vinha se mostrando muito solidária com sua necessidade pessoal de conseguir tempo para planejar seu ideal. Agora, planejando a criação de sua nova empresa, ele teria ainda menos tempo livre que antes. Mas ela concordou que seria melhor começar a trabalhar na questão desde já, para que a empresa já estivesse funcionando quando ele deixasse de trabalhar no banco de investimentos.

Como durante o verão o ritmo diminui um pouco, Ben conseguiu, trabalhando noite adentro, concluir um plano de negócios que poderia ser utilizado por ele próprio, Jeff e Frank para levantar o capital necessário para o lançamento da empresa. A busca do seu ideal estava, portanto, em andamento. Seu grau de confiança aumentou. Ele entendeu quais os próximos passos que teriam de ser dados e se deu conta de que tinha nas mãos a sua obra-prima.

Na semana seguinte, Ben comunicou oficialmente que estava deixando o emprego. Num prazo de três meses, ele concluiria os contratos em que vinha trabalhando e deixaria definitivamente o mundo dos bancos de investimentos.

Não se deixe dissuadir pelas reações negativas dos outros.

De uma hora para outra, a situação de Ben no escritório mudou. Ele deixou de ser visto como o talento em ascensão que poderia tornar-se futuramente um dos sócios. Passou a ser visto como alguém que estava indo embora. A mudança era ainda mais perceptível do que antes, quando ele havia começado a contar às pessoas que já não se sentia tão seguro sobre sua carreira no setor. Se antes as pessoas já se mostravam menos interessadas em conversar com ele sobre a política da empresa ou as mudanças nos concorrentes, agora Ben era totalmente excluído das conversas. Tornara-se um estranho.

Certo dia, Ben estava chegando em casa depois de um dia particularmente difícil no escritório. Naquela noite, seus colegas se reuniram num bar para festejar a aposentadoria de um dos sócios mais velhos da empresa. Apesar de nunca ter sido muito próximo desse sócio, Ben pensava em comparecer ao encontro. Embora os colegas tivessem passado a encará-lo como um estranho, seria bom tentar manter os vínculos, agora que já tomara sua decisão. Afinal, não havia como saber que importância essas relações poderiam ter futuramente para ele.

Ao dar uma olhada em sua agenda, contudo, Ben constatou que todos os horários estavam ocupados durante uma semana. E aquela noite era a única que lhe restava para ficar com a família. Considerando que nos últimos meses tivera pouco tempo para dedicar-se a ela, ele não estaria disposto a renunciar mais uma vez.

Ben chamou um táxi e foi para casa.

Subindo a Park Avenue, ele contemplava as torres de aço de ambos os lados, cada uma delas testemunho do poder e da influência do setor bancário. Ben sentiu certa nostalgia. Olhando para cima, via aquelas torres, tão orgulhosas, projetando no céu incontáveis histórias — o que poderia ser mais importante na vida do que ser parte de tudo aquilo? Será que ele seria capaz, por mais eficiente que fosse o seu planejamento, de criar algo tão impressionante e importante quanto o que acontecia naqueles prédios?

Um plano de carreira é apenas uma parte do plano de vida.

Ben chegou ao prédio onde morava. O porteiro, Albert, abriu a porta e cumprimentou-o com um sorriso. Os dois caminharam em direção ao elevador. Albert abriu a velha porta de aço e Ben entrou no elevador. Ele ficou observando enquanto Albert apertava o botão no painel e começava a subida até o seu andar.

Enquanto subiam os 15 andares, Albert perguntou como fora o seu dia e lhe falou de Tessa. "Ela está crescendo e se tornando uma moça muito educada, exatamente como a mãe e o pai", disse Albert. "Tenha uma boa noite, senhor." Ben agradeceu e, quando a porta do elevador se fechou, ouviu-o assobiar. Uma melodia bem alegre.

"Ele parece estar sempre assobiando", pensou Ben. "E também está sempre sorrindo. Que será que o faz tão feliz?" Ben ficou tentando imaginar.

O sujeito passava o dia inteiro prestando serviço aos outros, todos ganhando mais do que ele. Passava seu uniforme a ferro toda manhã e levava o dia abrindo e fechando a porta de um velho elevador Otis. Muitas vezes era ignorado ao polir os metais ou conduzir os moradores a seus andares, envolvidos na conversa com amigos, cônjuges ou amantes. Recebia sua correspondência e suas encomendas e tratava de entregá-las. Ajudava os mais idosos a descer as escadas do saguão. Como aquele homem poderia ser feliz, considerando-se que passava a maior parte do dia cumprindo tarefas rotineiras para pessoas que sequer o conheciam realmente?

E ainda assim, lá estava ele, assobiando.

Na verdade, ele efetivamente tinha sua importância na vida dos moradores do prédio. Quando uma babá adolescente que cuidava de Tessa quis subir com o namorado, ele não permitiu. Certo dia, Ben ouviu um menino de 8 anos, cuja mãe estava atrasada na volta do trabalho, comentar com um amiguinho: "Não consigo sair do prédio, o zelador não deixa." Ele se preocupava com os moradores e os protegia. E os moradores se preocupavam com ele. Embora sua posição aos olhos do mundo não fosse muito importante, ele considerava o seu trabalho fundamental. Albert sabia quem era.

E certamente também tinha seus sonhos. Quem poderia garantir que não os estava vivendo? Ele provavelmente tinha todos os motivos para se sentir feliz, possivelmente mais que Ben no mundo dos investimentos financeiros.

Ben seria capaz de jurar que o ouviu assobiar até chegar ao andar térreo. E começou a fazer o mesmo.

Ainda assobiava ao abrir a porta de seu apartamento. Chegara em casa.

Esculpa sua obra-prima particular

Você pode acreditar: existe uma obra-prima dentro da sua pedra. Você está, inclusive, confiante em seu compromisso com ela. Mas como começar a transformá-la em realidade? Como pode abrir caminho em direção à sua vida extraordinária?

Se você tem feito essas perguntas a si mesmo, já tem um grande começo. Dar os passos certos no início é fundamental. Para criar uma obra-prima, como fez Michelangelo com sua *Pietà*, você não pode simplesmente lançar mão do malho, desbastar furiosamente e esperar que tudo dê certo. É preciso planejar primeiro e depois modelar com cuidado.

Como sabemos, o que fez de Michelangelo um escultor tão bem-sucedido foi sua capacidade de planejar metodicamente. Começando pelos desenhos, passando em seguida à argila e depois aos modelos de cera, eximindo-se em quebrar a pedra até entender suas características próprias. Michelangelo planejava cuidadosamente antes de pôr as mãos à obra.

Da mesma forma, se você quer que sua vida extraordinária vire realidade, também terá de planejar. Sem planejamento, pode acabar enveredando pelo caminho errado. Talvez consiga avançar um pouco, mas não na direção em que pretende ir!

O prévio planejamento permite-lhe manter-se no caminho certo em direção ao seu ideal. Com o plano, você pode acompanhar seus progressos, as metas que está alcançando e aquelas que continuam pela frente. Ele também serve para proclamar suas intenções ao mundo, proporcionando-lhe um veículo para traduzir sua visão e talvez até conseguir ajuda para chegar lá.

Acima de tudo, o estabelecimento de um plano confere ordem ao seu avanço. Planejando, passamos a entender melhor nossa visão. Percebemos as falhas em nossa maneira de pensar. Identificamos detalhes em sua articulação. Melhoramos.

Ao estabelecer o seu plano, você terá de se fazer perguntas difíceis para definir as atitudes que precisa tomar. Seja concreto e honesto em suas respostas.

Faça a si mesmo as seguintes perguntas:

- Que preciso fazer para alcançar essas metas?
- De que recursos precisarei para concretizar meu ideal?
- Quanto tempo levarei para realizar minha obra-prima?
- Com que marcos poderei contar no caminho para me orientar e avaliar meus progressos?
- Quem precisa me apoiar para eu ir até o fim?

Tendo estabelecido o seu plano e começado a desbastá-lo, lembre-se de que ele precisa ser flexível para ser bem-sucedido. A vida, afinal, é imprevisível. Para concretizar efetivamente sua visão e fazer avanços reais na vida e na carreira, você precisa contar com esses caprichos do destino. Sim, mantenha-se fiel ao seu ideal, mas nunca com uma rigidez que o faça desmoronar.

Volta e meia, à medida que for avançando, reveja o seu plano e avalie sua eficácia. Passe em revista o que conseguiu até agora, onde deixou a desejar, o que está funcionando e o que não funciona. É possível que não tenha previsto certas circunstâncias que requeiram mais tempo ou recursos. Ou talvez determinada tarefa já não seja necessária.

Mas ainda que pareça não estar avançando, não desista do seu plano. Estude-o. Tente conseguir clareza sobre o que está fazendo e o motivo que o levou a fazê-lo. Alguma coisa mudou desde que você começou a pôr seu plano em prática? Existem atividades que o impedem de atingir seus marcos? Como contornar esses obstáculos?

Em suma, se você trabalhar com o seu plano, ele trabalhará para você. Nenhuma obra-prima jamais foi criada por acaso. Todas as grandes realizações decorreram de grandes planos.

Exercícios de descoberta

1. Relacione pelo menos dez passos importantes que terá de dar para alcançar sua meta prioritária num objetivo de vida. Anote esses passos por ordem de importância, cada um deles numa folha de papel.
2. Sob cada um desses passos, relacione as tarefas necessárias para alcançá-lo. Confira-lhes a prioridade necessária, por ordem de antecedência. Analise os passos que anotou. Algum deles pode ser desmembrado? Crie miniplanos baseados nesses passos. Anote-os. Prossiga até considerar que abarcou todas as atividades importantes para realizar seu plano.
3. Junto com cada uma dessas tarefas, indique que outras pessoas terão de ser envolvidas. Que responsabilidades caberão especificamente a você para a consecução das tarefas e o que poderá ser delegado a outros? Nos casos em que você delegar determinada tarefa, indique como acompanhará os progressos.
4. Estabeleça um prazo para cada tarefa. Planeje de trás para frente, a partir da data em que gostaria de alcançar sua meta, prevendo o tempo necessário para a consecução de cada etapa. Se considerar impossível atingi-la no tempo previsto, altere a data-alvo para ganhar mais tempo e rever os prazos intermediários. Conscientize-se de que os contratempos também fazem parte do processo, permitindo readaptações.
5. No pé de cada página, relacione os principais obstáculos a cada um de seus passos mais importantes. Os empecilhos são a pedra que você terá de desbastar para revelar sua carreira extraordinária. Alguns podem ser de caráter pessoal, como enfrentar os monólogos in-

ternos negativos e a pressão dos colegas, e outros estarão relacionados a áreas nas quais você simplesmente precisa de mais experiência e conhecimento para se tornar competente (por exemplo, estabelecer um orçamento detalhado e realista para financiar o seu plano). Você precisa proceder periodicamente a uma revisão das tarefas relacionadas a esses principais obstáculos para se certificar de que estejam sendo adequadamente tratadas. Enquanto vai desbastando, tome cuidado para não inscrever seu plano na pedra. Para que ele seja útil, precisa ser um documento vivo e flexível, passível de ser revisto conforme as circunstâncias.

Você agora já dispõe do seu plano a ser cumprido a longo prazo. Pergunte a si mesmo que passos poderá dar ainda hoje. Chegou a hora de começar.

6

Encontre o apoio de que precisa

Michelangelo fizera amizade com Francesco Granacci, que, ainda rapaz, como ele, aprendia com Domenico Ghirlandaio a arte da pintura. Como gostava de Michelangelo e percebeu sua especial inclinação para o desenho, Granacci fornecia-lhe diariamente desenhos de Ghirlandaio, considerado na época um dos melhores mestres não só em Florença, mas em toda a Itália.

Vida de Michelangelo
Giorgio Vasari, 1568.

Para a maioria das pessoas, atualmente, o nome de Francesco Granacci não significa nada. Pergunte a seu respeito a qualquer um na rua, e é mais provável que você seja encaminhado a um restaurante italiano do que a um museu.

Naturalmente, pronunciando-se o nome de Michelangelo, imediatamente ocorre às pessoas a idéia de uma obra-prima — o *David*, o teto da Capela Sistina. Passaram-se quinhentos anos, e todos ainda conhecem Michelangelo.

Pois a maioria das pessoas ficaria chocada se soubesse que, não fosse um obscuro pintor renascentista italiano chamado Francesco Granacci, talvez não houvesse *David* nem o teto da Capela Sistina. Pois o fato é que, sem Francesco Granacci, talvez não houvesse Michelangelo.

Como já sabemos, Michelangelo, quando menino, foi obrigado a esconder seu talento da própria família. Embora desde a infância quisesse, acima de tudo, se tornar um artista, seu tirânico pai, Lodovico, tinha outros planos para ele.

Podemos imaginar que Michelangelo passava muitas noites solitário em seu quarto, desenhando silenciosamente à luz da lua, e muitos outros dias tratando de esconder seus desenhos. Podemos imaginar que, fazendo seus desenhos, ele sentia que estava se escondendo. E que desejava desesperadamente ser descoberto.

Todos nós queremos ser "descobertos".

Foi então que o jovem Michelangelo conheceu Francesco Granacci.

Michelangelo o conheceu nas aulas de gramática do mestre Francesco Galeota. Granacci também era um jovem artista em formação. Poucos anos mais velho que Michelangelo, já trabalhava como aprendiz do grande pintor florentino Domenico Ghirlandaio. Granacci não só era um artista talentoso como já levava a vida que Michelangelo desejava para si.

Diariamente, nas aulas de gramática, Michelangelo demonstrava grande interesse pelos trabalhos de Granacci. Quando este ficou sabendo que o amigo também queria tornar-se um artista, pediu para ver seus desenhos.

No dia seguinte, Michelangelo levou escondido os desenhos de casa. Ao vê-los, Granacci ficou estupefato. A maturidade do traço, o cuidado com formas e estruturas na reprodução, a elegância da composição... seu jovem amigo era um autêntico artista. Por que não estava se aperfeiçoando como aprendiz com um dos grandes mestres?

Ao ser informado de que a família sufocava o talento de Michelangelo, Granacci tomou-o sob sua proteção — como aprendiz do aprendiz. Assim como Granacci aprendia de Ghirlandaio, copiando seus trabalhos para captar as nuances do traço, Michelangelo aprendia de Granacci. Diariamente, o menino mais velho levava ao pequeno Michelangelo seus próprios trabalhos, assim como desenhos do mestre Ghirlandaio, para que fossem copiados. Michelangelo progredia rapidamente. Logo, seus trabalhos seriam superiores aos de Granacci.

Mas Granacci não tinha inveja do talento do amigo. Ficava pasmo. Como poderia alguém ter inveja de um gênio tão raro? A genialidade, afinal, era um dom do Criador. E jamais deveria ser sufocada. Ela precisa florescer.

Para criar sua obra-prima,
você precisa encontrar o mestre certo.

Mas como Granacci poderia continuar ensinando a um gênio? Não, era chegada a hora. Ele precisava convencer Michelangelo a procurar Ghirlandaio em seu ateliê e convencer o verdadeiro mestre a tomá-lo como aprendiz.

Com o apoio do amigo, Michelangelo concordou. E foi assim que Granacci o conduziu ao sombrio ateliê de Ghirlandaio.

Quando os dois apresentaram uma amostra do trabalho de Michelangelo, os outros alunos observaram com curiosidade. Granacci ignorou os olhares e pediu ansiosamente ao mestre que avaliasse o trabalho do menino que, segundo afirmava, superava o seu próprio. Curioso, o grande pintor atravessou a sala.

Granacci espalhou os trabalhos de Michelangelo sobre a desordenada mesa de desenho. Ghirlandaio debruçou-se sobre eles, analisando o traço em silêncio. Passaram-se alguns minutos. Finalmente, o mestre levantou a cabeça. “Diga ao pai do menino que ele pode ser meu aprendiz.”

A sorte estava lançada. Michelangelo podia libertar-se de seu esconderijo. Ali estava um autêntico artista! Com o estímulo e o apoio de Granacci, Michelangelo enfrentaria o pai. Os dois meninos lutavam juntos pela causa do gênio artístico.

Anos depois, Granacci e Michelangelo continuariam juntos, apoiando-se reciprocamente frente aos novos desafios que surgiam. Ambos concluíram seus estudos no ateliê de Ghirlandaio, passando a freqüentar a nova escola de escultura criada por Lorenzo, o Magnífico.

Ao se tornarem também mestres na escultura, Michelangelo já era conhecido como o mais promissor jovem artista de Florença. Mesmo com sua fama crescente, contudo, ele se manteve ao lado do bom amigo Granacci, trabalhando com ele em Florença e levando-o a Roma para ajudá-lo em alguns de seus maiores projetos.

Uma coisa ele sabia: sem Granacci, talvez não houvesse Michelangelo.

Na vida, nos relacionamentos, nas épocas boas e nas ruins, à medida que damos passos, crescemos e enfrentamos reveses, contamos sempre com a ajuda dos amigos.

Sem nossa rede pessoal de relacionamentos, simplesmente não temos o apoio de que precisamos para seguir em frente apesar dos obstáculos. Contando com apoio, o impossível parece possível.

Suportamos um peso excessivo. Com apoio, a força de dois é capaz de levantar mais facilmente esse peso.

Sem apoio, a Voz Interior e suas recriminações são nossas únicas companheiras. Com apoio, palavras amistosas de estímulo tornam o nosso percurso mais leve nas partes mais sombrias da jornada.

Sem Granacci, nada de Michelangelo.

Jack

Voltemos ao Jack, o executivo do setor de marketing que lá no Capítulo 3 se tornou militante ambiental. Tudo parecia correr bem. Ele descortinava com clareza o seu ideal e tinha um plano. Estava disposto a dar os passos necessários para um verdadeiro salto em sua carreira. Estava louco para pôr as mãos à obra, trabalhando para uma instituição de preservação ambiental.

Foi assim que Jack deu início à busca de um emprego. Vasculhou a internet à procura de oportunidades. Atualizou seu currículo, anexando a cobertura da imprensa sobre seu triunfo na Floresta Prateada. Quando encontrava alguma possibilidade, imediatamente corria atrás.

As cópias do currículo chegavam às mãos de diretores de diferentes organizações, que liam entusiasmados o material, impressionados com sua capacitação e sua convicção e, para falar a verdade, curiosos com esse executivo de marketing que queria salvar o planeta.

Passadas algumas semanas, o telefone de Jack tocou. Ele conseguira marcar uma entrevista.

Na entrevista, o preparo e o encanto pessoal de Jack representaram um ponto forte. O entrevistador ficou impressionado com sua história, sua paixão ambiental, sua experiência em marketing e comunicação. Ao término da conversa, apertando sua mão com firmeza e um sorriso, o diretor disse: "Boa sorte." E Jack nunca mais teve notícias dele.

A mesma história se repetia todas as vezes.

Apesar de sua convicção, do seu profissionalismo e da clareza com que perseguia seu ideal, Jack não era capaz de conseguir sozinho que alguém o levasse a sério. Imagine como seria difícil para qualquer um convencer o diretor de uma organização ambiental de que um executivo de marketing especializado em produtos químicos e farmacêuticos era a pessoa certa para o emprego.

Quando conversamos sobre sua busca, Jack tinha um forte sentimento de frustração.

— Não sei mais o que fazer. Todo mundo diz que eu sou o homem certo para esse tipo de trabalho. Mas ninguém me contrata. Houve até quem chegasse a me dizer que eu sou uma obra em andamento que já foi além do nível da maioria das obras concluídas. Nem entendi direito o que queria dizer com isto! Mas certamente significa que terei de voltar a procurar emprego em marketing.

Use sua rede pessoal de relacionamentos.

— Talvez você precise apenas pensar em outras possibilidades para ampliar sua busca — sugeri. — Você está tentando fazer tudo isto sozinho. Talvez fosse bom tentar estabelecer essa ligação com o trabalho através dos seus conhecimentos pessoais. Com o apoio e a recomendação de um conhecido, você deixa de ser apenas um anônimo procurando emprego.

Durante uma hora, Jack e eu exploramos idéias de possíveis contatos. Mapeamos todos os seus relacionamentos pessoais numa grande folha de papel: o marido de uma antiga colega que trabalhava como advogado ambientalista no governo estadual, o proprietário do mercado de alimentos orgânicos que mantinha um blog muito acessado na internet, as pessoas com as quais tivera contato durante a campanha para salvar a Floresta Prateada.

As pessoas da Floresta Prateada! Estranhamente, ao traçar seu plano, Jack esquecera de envolver seus aliados mais leais na busca de um novo trabalho. Se comunicasse suas intenções aos parceiros daquela empreitada, quem sabe eles o poriam em contato com o mundo ambiental, dando-lhe a credibilidade que desejava? Sem eles, Jack não teria conseguido salvar a Floresta Prateada. E agora, sem eles, não conseguiria salvar a si mesmo.

Jack foi percorrendo a lista de todas as pessoas com as quais havia trabalhado em projetos de preservação ambiental ou que simplesmente se interessassem pela reciclagem de materiais. Quando chegou à letra R em seu Palm Pilot, deparou-se com Rita Ronson, uma das mulheres mais envolvidas na luta contra aquele projeto de urbanização.

Depois de alguns minutos de conversa com Rita, ficou sabendo que ela conhecia a diretora de um consórcio de conservação de terras que podia contratar alguém. No dia seguinte, com a recomendação de Rita, Jack estava marcando uma entrevista com a fundadora e diretora executiva da organização.

Espere o inesperado.

Naquela noite, Jack agarrou-se ao travesseiro, tentando não acordar a mulher. Mentalmente, ele repassava tudo o que seria falado na entrevista reiteradas vezes. Quando o despertador soou às 7 horas da manhã, Jack podia não ter dormido bem, mas estava preparado.

E ela não transcorreu em absoluto como ele esperava.

Ao chegar ao local marcado, ele logo viu que não estava mais no mundo das grandes corporações. O gabinete da diretora executiva ficava numa casa de fazenda construída na década de 1830 com pedras, argamassa e toras de carvalho das florestas de Nova Jersey.

Lá dentro, a diretora estava sentada a uma mesa de madeira cercada de pilhas de papel, objetos antigos e mapas que cobriam uma parede inteira. A própria diretora era uma figura diferente. Penteado exótico, contas de âmbar ao redor do pescoço, macacão, botas de operário — nada a ver com os executivos engravatados em cuja companhia ele passara a maior parte de sua carreira. Na verdade, aquela diretora fazia qualquer outro executivo de organização sem fins lucrativos parecer prontinho para entrar na lista dos cem mais bem-sucedidos da revista *Fortune*.

Jack apertou os olhos ao entrar, tentando distinguir melhor as coisas. Ela devia ter exatamente a mesma aparência ao fundar a organização em 1969.

— Puxe uma cadeira — disse ela, numa voz ao mesmo tempo rude, amistosa e brincalhona. — Muita coisa para fazer, muita coisa para fazer.

Jack puxou uma cadeira meio bamba, enquanto Hannah, a diretora executiva, dava a partida num monólogo sem fim. Falou de como soubera do seu trabalho através de Rita. De como ficara impressionada com sua capacitação, o que, no entanto, não tinha muita importância, pois qualquer um podia aprender aquela função. O que importava, isto sim, era a paixão que ele tinha pelas coisas da terra. Da necessidade imediata de alguém com o seu preparo e experiência em matéria de comunicação. E também que não poderia pagar muito. E então lançou:

— Mas que diabos, vai querer trabalhar comigo?

Jack sentiu um impacto quase físico. Aquela mulher era um ciclone, e ele estava sendo arrastado.

— Ora, diabos, por que não? — soltou.

Naquela noite, Jack dormiu dez horas direto. E teria dormido mais se sua filha não tivesse entrado correndo no quarto e pulado na cama.

— Parabéns, papai! Você conseguiu um emprego!

— Isso mesmo, meu amor. Consegui.

Ele levantou a filha no ar. Tudo parecia indicar que seria uma linda manhã.

A carreira no mundo dos negócios ensinara a Jack que podia esperar certas coisas. Juntamente com sua experiência, vinham recompensas, recompensas financeiras. Quando decidiu encerrá-la, já estava sendo remunerado bem acima dos seis dígitos. Considerando-se que sua eficiência no terreno do marketing propiciara milhões de dólares de lucros às empresas, podia-se dizer que valia cada centavo que ganhara.

Mas o mundo das organizações sem fins lucrativos era muito diferente.

Os ganhos exigem sacrifícios.

Naquele dia, ao receber a oferta do consórcio — se é que podemos considerar como uma oferta um telefonema de que alguém diz "Se puder começar amanhã, pagaremos 40 mil dólares por ano" —, ficou perfeitamente clara a diferença entre o mundo corporativo e o mundo das organizações de preservação ambiental sem fins lucrativos.

Jack parou para pensar. Estava ali o início de sua obra-prima. Como poderia dizer não? E ao mesmo tempo, era apenas um terço do seu salário anterior. Levando-se em conta que aquele período de busca de emprego já vinha corroendo suas reservas, que sua mulher tinha um emprego de meio expediente, ganhando pouco e dedicando a maior parte do tempo a cuidar da família, e também o estilo de vida a que estava acostumado, como poderia dizer sim?

Jack pediu 48 horas para pensar na oferta. Mas, na verdade, sabemos perfeitamente que naquela noite ele não ia dormir.

No dia seguinte, fui acordado com uma mensagem sua, registrada na secretária eletrônica às 4 horas da manhã. "Recebi uma oferta. O trabalho é exatamente o que eu estava procurando. Mas não existe a menor possibilidade de aceitá-lo. Já fiz todas as contas. Estão me oferecendo apenas 40 mil dólares por ano. Você sabe o que estou acostumado a ganhar, e o fato é que... Será que podemos conversar amanhã? Quer dizer, hoje. Mais tarde."

Quando o chamei de volta, logo ao acordar, o que encontrei foi um homem muito preocupado. Jack estava diante de um dilema daqueles. Em termos abstratos, claro, seu sonho parecia fascinante, mas ali, bem à sua frente, mostrava-se, digamos, real, e portanto cheio de imperfeições.

É bem verdade que Jack e eu já chegáramos à conclusão de que ele teria de aceitar uma redução salarial para concretizar seu ideal, mas a redução, no caso, era maior do que havíamos imaginado, e, pior ainda, constituía a única oferta no fim de uma longa linha de entrevistas frustrantes. Para seguir em frente, alcançar seu objetivo e criar sua obra-prima, ele precisaria ter força para assumir o risco, superar o obstáculo e sobreviver.

Busque ajuda com aqueles que o apóiam para enfrentar seus piores temores.

— Vamos ver aqui uma coisa — disse eu a Jack. — Suponha que você aceite esse emprego. Estamos na sexta-feira. Dia de pagamento. Imagine-se recebendo o contracheque. Agora, abra o envelope.

— Tudo bem, estou abrindo o envelope.

— Dê uma olhada no contracheque. Um valor pequeno. Pois bem, aqui e agora, olhando para ele, qual é o seu maior medo?

— Não poder sustentar minha família!

— E você acha que não seria capaz de sustentá-la?

— Não da maneira como estou acostumado.

— Do que sentiria mais falta?

— De nossas férias em St. Thomas. A família inteira sentiria falta. Nós trabalhamos tanto. De vez em quando, precisamos mesmo nos distanciar desse estresse todo.

— Mas se você gosta do trabalho que está fazendo...

— Bem, realmente é possível que você não precise se refugiar no paraíso se está vivendo os seus sonhos.

— E que tal alguns dias em Jersey Shore? Não é tão exótico, mas pode ser até mais relaxante, sem necessidade de uma viagem de longa distância.

— Tudo bem. Mas e a minha mulher? Há algum tempo ela vem trabalhando para uma organização sem fins lucrativos.

— E você a apoiou nessa decisão?

— Sim.

— Não acha que ela apoiará sua decisão?

— Acho.

— Como é que vocês poderiam, juntos, encontrar uma resposta aos seus temores quanto ao sustento financeiro da família?

Naquela noite, Jack tentava dormir, enquanto sua mulher, Sarah, lia à luz do abajur da cabeceira. Como sempre, ele se revirou. Nada de cair no sono. "Tente contar carneirinhos", pensou, "sempre funciona nos desenhos animados."

Lá estavam eles no pensamento de Jack: alegres, felpudos, pacíficos, saltando por cima da cerca. Um, dois, três. Até que, de repente, do nada, apareceu uma tesoura de poda de tamanho industrial. A tesoura vibrava com todos os temores de Jack a respeito da oferta de emprego. E estava voando diretamente para os carneirinhos pacíficos, alegres e felpudos.

Não demorou, e eles estavam completamente podados.

— Pelados! — gritou Jack, arregalando os olhos e olhando direto nos olhos azuis da mulher.

— Está com dificuldade de dormir? — perguntou Sarah. — Vem cá.

Ela pôs o livro de lado e tirou Jack da cama.

Lá embaixo, Jack e Sarah conversaram sobre tudo que o estava incomodando nos últimos dias. Uma hora mais tarde, estavam planejando um orçamento familiar de acordo com um salário anual de 40 mil dólares.

Jack e Sarah ouviam as idéias um do outro. Podiam preparar um almoço com sobras e economizar 7 dólares no sanduíche. As férias podiam ser passadas na casa da família de Jack na praia. Ele não trocaria o seu Volvo por um novo no fim do ano. E se a certa altura ficasse parecendo que não conseguiriam pagar uma conta, sempre haveria a poupança como recurso, desde que tomassem cuidado e não mexessem muito nela. De qualquer maneira, eles prometiam um ao outro unir esforços e garantir a segurança da família, ao mesmo tempo em que tentavam concretizar seus sonhos.

Ao amanhecer, Jack e Sarah ainda estavam fazendo contas. Para ele, era a segunda noite sucessiva sem dormir. Curiosamente, ele se sentia revigorado.

Jack tirou os olhos do papel e olhou para Sarah. Lá estava ela, fazendo a contabilidade da vida a dois, em dólares e centavos. Sua maneira de franzir a testa, o movimento dos lábios enquanto fazia cálculos mentalmente, essas pequenas coisas eram o que havia de mais precioso em sua vida. Por mais que tivesse de cortar nos carros, nas férias, nos almoços ou em qualquer outra coisa, Jack sempre continuaria tendo o amor de Sarah, algo que não tinha preço. E acontecesse o que acontecesse em sua vida, ela estaria a seu lado para ajudá-lo.

Sarah apanhou Jack olhando fixo para ela.

— Algo errado?

Jack pôde apenas responder com um beijo. Que palavras seriam capazes de comunicar aquele sentimento?

Ele pousou a mão suavemente no coração da mulher.

Sem Sarah, nada de Jack.

A conexão Medici

Não fosse a intervenção de seu amigo Francesco Granacci, Michelangelo talvez nunca tivesse sequer começado uma carreira nas artes. Mas até onde teria ido como artista sem outras formas de apoio? A genialidade exige certo grau de liberdade — liberdade financeira e para experimentar —, e isso não costumava estar ao alcance de jovens artistas. No Renascimento, a arte era produzida em *fabbricas* (fábricas); em sua maioria, os artistas eram vistos mais ou menos como os operários de hoje. A família de Michelangelo, dedicada ao comércio de lã, considerava que não estava à sua altura a decisão de trabalhar na *fabbrica* de Ghirlandaio.

Para ser grande, é preciso ser livre.

Essas *fabbricas* eram controladas por alguns poucos pintores renomados. Eles treinavam os aprendizes, sobretudo para completar os desenhos esboçados pelo mestre. Se os novatos demonstrassem talento, vinham a ter oportunidade de participar dos aspectos mais criativos do processo.

Os mestres faziam questão de ser creditados pessoalmente pelas grandes obras. Na verdade, contudo, as obras de arte atribuídas a um grande mestre freqüentemente eram executadas por seus auxiliares, todos eles anônimos.

Era esta a vontade do mestre. Nada de compartilhar a fama. Ao contrário do que acontece hoje em dia nos filmes, não havia créditos para indicar os integrantes da equipe. Não temos, assim, qualquer possibilidade de saber quais as pinturas de Ghirlandaio em que Michelangelo trabalhou.

Como vimos, Michelangelo se destacou dos demais aprendizes com um pouco de arrogância e certo apreço pelo risco. Lançou mão de um desenho do mestre e o aperfeiçoou. As pessoas comentaram, a notícia se espalhou. Aquele menino desenhava, e muito!

A fama não dura muito sem apoio constante.

Mas esse tipo de fama tende a durar pouco, a menos que você consiga apoios que possam conduzi-lo permanentemente ao patamar seguinte. Michelangelo encontrou esse apoio na pessoa de Lorenzo de Medici, o principal dirigente político de Florença, chefe da mais poderosa família da cidade-Estado, conhecido como Lorenzo, o Magnífico.

Pode parecer estranho hoje que um dirigente político se preocupasse em proteger um gênio artístico. No Renascimento, contudo, não eram apenas artistas como Michelangelo e Leonardo que tinham uma ampla gama de interesses e talentos. Os grandes governantes da época também buscavam tornar-se "homens do Renascimento", e sobretudo Lorenzo, o Magnífico, cujos interesses e realizações abarcavam os universos da política, das finanças e das artes.

Quis a sorte que, pouco depois de Michelangelo corrigir o desenho do mestre, Lorenzo pensasse em abrir uma academia de escultura, uma forma de arte que não estava muito presente em Florença. Michelangelo certificou-se de que seu nome fosse levado em conta, e, uma vez freqüentando a academia, fez o que precisava para se destacar.

Lorenzo reconheceu o talento de Michelangelo e o apoiou. Chegou inclusive a levá-lo para morar em sua casa. Lá, em constante contato com os homens mais inteligentes e brilhantes de Florença, Michelangelo recebeu uma educação informal de valor inestimável, cultivando a filosofia, a poesia, as artes e os clássicos e desenvolvendo seu espírito independente.

Dessa mesma importante família, ele receberia posteriormente as encomendas necessárias para alcançar a independência financeira. Entre elas, os grandes túmulos dos Medici, a igreja de San Lorenzo e a Biblioteca Laurenciana, que abriga a coleção de livros raros da família.

Salvando a vida de Michelangelo

É provável que a ligação de Michelangelo com essa família lhe tenha salvado a vida após a queda da República de Florença em 1529, quando Bartolommeo Valori, o novo comissário, ordenou que fosse assassinado. Alessandro Corsini, um dos membros do Conselho dos Duzentos de Florença, estava decidido a matá-lo para se vingar do apoio de Michelangelo à República e do fato de o artista ter dissecado o cadáver de um jovem Corsini muitos anos antes. Informado da intenção de assassiná-lo, Michelangelo escondeu-se na casa de um amigo até conseguir que um ato de clemência fosse obtido do papa Clemente VII (da família Medici). Clemente, preocupado com a saúde débil de Michelangelo, restabeleceu sua pensão e ordenou que trabalhasse exclusivamente nos túmulos dos Medici.

Apoio, proteção, cuidados: Michelangelo precisava de tudo isto, e foi o que encontrou numa das épocas mais turbulentas da história. Também nós precisamos de apoio, proteção e cuidados em nossas vidas turbulentas.

Barbara

O lema do corpo de Fuzileiros Navais americanos é "Semper Fi", abreviação da expressão latina *semper fidelis* (sempre fiel). Fiel a Deus, à pátria, à família e à corporação. Barbara, uma mulher extraordinariamente atraente e em forma, em seus 40 e poucos anos, leva no carro um adesivo com a inscrição "Semper Fi". Na boa tradição dos fuzileiros, sempre que outro fuzileiro, na ativa ou na reserva, vê o adesivo, há uma troca de saudação, com a entusiástica exclamação "Semper Fi!".

Barbara entrou para a corporação logo depois de concluir o ensino médio, tanto para se livrar de um pai arrogante e alcoólatra quanto para deixar os pais orgulhosos, mas sobretudo porque sua melhor amiga, Mary Ann, queria fazer o mesmo. Mary Ann era ousada. Barbara a chamava de "a insubmergível Molly Brown*", pois não parecia ter medo de nada e era uma eterna otimista. A amiga era o perfeito contrapeso para a mãe medrosa e superprotetora de Barbara. Em vez de ficar encontrando motivos pelos quais Barbara não poderia ou não deveria fazer alguma coisa, Mary Ann encontrava razões para que ela tentasse algo novo. Barbara começou a ver que a vida estava cheia de possibilidades e oportunidades, e não de perigos e problemas.

Barbara adorou quando soube que Mary Ann seria alocada para a mesma base que ela depois da formatura: as designações eram feitas pela ordem alfabética, e seus nomes de família começavam com a mesma letra. Lá, a mais de 1.000km

---

* Margaret Brown foi uma socialite americana, filantropa e ativista, conhecida como uma das sobreviventes do naufrágio do Titanic. (*N. da R.*)

de casa, algo imprevisto começou a acontecer. Barbara relata: "Sempre considerei Mary Ann como a mais forte, mas foi mais difícil para ela ficar longe da família do que para mim. Todo domingo ela chorava. Não queria estar lá. De modo que eu a ajudei mais do que ela a mim na adaptação à nova vida." Barbara prosseguiu: "A certa altura, Mary Ann disse 'Não quero ser melhor que você, quero apenas ser como você.' E era exatamente o que eu estava pensando dela."

Barbara e Mary Ann fizeram novas amizades nos Fuzileiros Navais. Aprenderam a viver num "bando de irmãos e irmãs" e o que significa realmente *esprit de corps* — o espírito de companheirismo, entusiasmo e dedicação a uma causa entre os membros de determinado grupo. Apoio, proteção e cuidado (que entre os fuzileiros pode significar "amor absorvente") eram a ordem do dia. E esse apoio ajudou tanto Barbara quanto sua melhor amiga a crescer em direções que nunca haviam imaginado.

Ao voltar para casa, Barbara concluiu seus estudos superiores e conheceu e se casou com Kevin, 15 anos mais velho que ela, que havia sido matriculado por sua firma de consultoria de gerenciamento num MBA. Depois de formada, ela começou a trabalhar num centro de ginástica e nutrição, e alguns anos depois o casal se mudou para o subúrbio, onde nasceu seu filho, Peter. Barbara esperava dedicar-se inteiramente à criação do filho até que ele começasse a freqüentar a escola, mas Kevin, que tinha um trabalho muito estressante e ignorava os pedidos da mulher para que fizesse exercícios e controlasse a dieta, teve um derrame e, mais tarde, um ataque cardíaco fatal.

Para Barbara restaram uma excelente casa e um lindo filho, mas pouco além disso. Kevin não acreditava em seguros de vida. "É melhor nós mesmos investirmos o dinheiro", dizia. Mas o fato é que eles haviam investido todas as suas reservas na compra da casa, e nada restara para investir.

Agora Barbara era uma mãe sozinha e sem recursos financeiros, numa comunidade estranha, precisando criar o filho pequeno. Conseguiu um emprego de meio período num escritório, mas o detestava. "Porém, o que mais poderia fazer?", perguntou-me, quando nos encontramos pela primeira vez. Ela se sentia enjaulada, tentando segurar as pontas em casa e lutando com uma renda muito baixa.

Barbara me procurou para conversar sobre seu desejo de encontrar outro tipo de trabalho, mas falava sobretudo de sua solidão. Falou-me de sua amizade com Mary Ann, que agora vivia em outro estado e tinha três filhos. Por isto, seus contatos passaram a ser limitados. Os novos vizinhos de Barbara eram simpáticos, mas um pouco distantes, e ela não entendia por quê.

— Você tentou se aproximar? — perguntei.

— Fiz um churrasco e convidei a vizinhança toda. Veio muita gente, e aparentemente eles se divertiram um bocado. Telefonaram depois para agradecer, mas ficou nisso...

Sua voz parecia ter sumindo em meio ao desapontamento.

— Sobre o que conversaram no churrasco? — perguntei.

— Conversamos sobre os filhos, claro, sobre como estavam se saindo. Mas eles queriam saber sobretudo da minha experiência nos Fuzileiros, como era ser uma mulher na corporação.

— E o que você disse? — perguntei.

— Falei principalmente da força interior de que a gente precisa para passar por essa experiência. E da sensação boa de conseguir vencer. A gente fica sentindo que é capaz de enfrentar qualquer coisa por si só, por mais difícil que seja.

— Talvez seus vizinhos tenham achado que você não precisa deles. Foi mais ou menos o que você disse.

— Mas não é a mesma coisa. Eles precisam perceber isso — respondeu Barbara.

— Não estou muito certo de que perceberão. Por que não procura uma de suas vizinhas, chamando-a para almoçar, e se abre com ela? — sugeri.

Quando estiver se afogando e alguém jogar uma bóia, agarre-a.

Barbara convidou sua vizinha Cindy para almoçar. Entre a salada de frango e a torta de limão, as duas conversaram sobre a vida que levavam: seus sonhos, suas decepções, as expectativas que alimentavam para os filhos. Cindy ficou conhecendo a verdadeira Barbara. No sábado seguinte, convidou-a para ir a uma galeria de arte e almoçar com quatro outras vizinhas.

Quando passaram a conhecer Barbara realmente, essas mulheres se tornaram suas irmãs. "Elas eram para mim uma verdadeira tábua de salvação", comentou Barbara. "Quando a gente está se afogando e alguém atira uma bóia, o melhor é se agarrar a ela!"

Com o passar dos meses, Barbara viu que encontrava nesse grupo o companheirismo e o apoio emocional de que precisava. Aquelas "irmãs" tinham o mesmo *esprit de corps* que ela vivenciara nos Fuzileiros Navais: companheirismo, entusiasmo e dedicação recíproca.

Barbara e eu continuamos a nos ver para tratar de sua situação profissional. Começamos com avaliações e exercícios para identificar seus valores. Fé em Deus, gosto pela aventura, amizade, família, cuidado com os seus e boa forma física eram os pontos mais importantes em sua lista. Mas no topo estava o respeito próprio.

Através do diálogo e das avaliações, descobrimos quais eram suas paixões e seus pontos fortes. Barbara adorava a cozinha vegetariana, especialmente inventar novos pratos saudáveis e deliciosos. Nos meses subseqüentes, levava algo especial preparado por ela mesma às reuniões com as novas amigas. Seus principais pontos fortes revelaram-se uma excepcional capacidade de ouvir e a disposição de sentir empatia pelos outros.

Podíamos agora iniciar uma série de sessões para descobrir possibilidades de carreira. Sugeri que talvez fosse bom conversar com as amigas para ver se, juntas, não teriam idéias de áreas profissionais que tivessem a ver com seus valores, paixões e pontos fortes.

Na sessão seguinte, Barbara chegou toda animada. Conversara com Cindy e ficara sabendo que a loja de alimentos naturais da cidade, Healthy Way [Caminho Saudável], estava à venda. Uma coisa levara à outra, e elas acabaram discutindo a possibilidade de criar uma sociedade para comprar a loja.

— Eu não sei — disse Barbara. — Gostaria muito, muito mesmo, mas não tenho dinheiro para investir.

Tivemos então uma sessão muito construtiva, tentando imaginar como a sociedade poderia funcionar. Se Cindy entrasse com a primeira parte, talvez elas conseguissem um empréstimo para pagar o resto. E Barbara se dispunha a assumir a maior parte do trabalho, se recebesse um pequeno salário. Nesse caso, poderia deixar seu emprego temporário. "Seria incrível!", exclamou, com um brilho nos olhos.

Três meses depois, Barbara e Cindy compraram a loja e lhe deram um novo nome: Wholesome Harvest [Colheita Integral]. Cindy entrou com o dinheiro, e o banco forneceu o resto.

Em minha primeira visita, fiquei com a sensação de que a loja seria um sucesso. Barbara estava entretida com os clientes, respondendo pacientemente a suas perguntas e preocupada em fazê-los se sentir à vontade. "Existe algum remédio natural para a dor causada pela artrite?", perguntou um deles. Ela sugeriu que tentasse arnica. "Há algo para aliviar minhas dores de cabeça?", quis saber outro. Barbara recomendou chá de camomila e apresentou alguns produtos feitos com ervas especiais. "O que você recomenda para a azia crônica?", perguntou uma terceira pessoa. Ela lhe falou de receitas de baixo teor de acidez.

Barbara cuidava de todos que entravam na loja, fornecendo não apenas alimentos saudáveis para o corpo, mas também uma conversa animadora para a alma. Encarava esse trabalho como seu "ministério pessoal". Preocupava-se realmente com as necessidades dos clientes. Eles, por sua vez, transformaram a loja num sucesso, comprando os produtos naturais e orgânicos que ela fornecia.

Passados dois anos, ficou claro que a loja precisava se expandir. Seria necessário um investimento adicional, que poderia provir dos próprios lucros da empresa. Mas Barbara achou que poderia ser divertido envolver suas vizinhas "irmãs", que efetivamente se tornaram entusiásticas sócias do empreendimento.

Eu visitava Barbara em sua loja de alimentos naturais semanalmente. Há muito ela deixara de ser minha paciente, mas eu continuava como seu cliente. Aguardava ansiosamente nossas interessantes conversas sobre alimentos e questões comunitárias, e não raro acabava comprando mais legumes orgânicos do que realmente precisava para o resto da semana.

Reavalie suas metas e avance de tempos em tempos.

Numa de minhas visitas, Barbara perguntou se poderia me procurar em meu escritório. Marcamos uma reunião para aquela mesma semana. Fiquei muito curioso de saber qual poderia ser seu problema.

— Completei 40 anos na semana passada, e comecei a pensar onde estou e para onde vou. Eu amava minha mãe e reconheço tudo o que ela me deu. Mas acho que ela levou uma vida muito limitada, e não gostaria que meu filho dissesse o mesmo a meu respeito. Quero ter uma vida que seja motivo de orgulho para mim e que também faça meus amigos e meu filho se orgulharem de mim. Achei que uma conversa com você poderia ser útil para me orientar.

Ponderei que muitas pessoas usam as "datas redondas" de aniversário como pretexto para reavaliar sua vida.

— Para muita gente, 30 anos é o fim da juventude e 40, o início da meia-idade — disse. — É mesmo muito saudável reavaliar de vez em quando as próprias metas e o progresso já feito.

Durante nosso encontro, tentei imaginar o que ainda poderia estar faltando em sua vida. Ela parecia ter tudo: um trabalho gratificante, amigos maravilhosos, um filho que a adorava e um estilo de vida saudável.

Pedi-lhe então que anotasse num papel suas metas para os próximos três meses, os motivos de sua escolha e quais os benefícios que a consecução de cada uma dessas metas traria para outras pessoas. E ali, naquela página, revelava-se o esquema de sua vida extraordinária: continuar a ajudar os outros com seu "ministério pessoal" na loja de alimentos naturais; dar prosseguimento à jornada iniciada com suas "irmãs"; e continuar amando, apoiando e cuidando de seu filho.

Enquanto Barbara examinava sua lista, seu sorriso se alargava. Até que, revelando aos poucos o significado de tudo aquilo, seus olhos ficaram marejados e as lágrimas começaram a correr. Ela se deu conta de que já levava a vida extraordinária de que ela própria, seu filho e os amigos podiam se orgulhar.

Esculpa sua obra-prima particular

Sem Francesco Granacci, que forneceu apoio emocional e artístico ao jovem Michelangelo, dando-lhe acesso ao aprendizado com Domenico Ghirlandaio, talvez não houvesse um Michelangelo. Sem um empurrãozinho dos amigos, criar uma obra-prima é uma tarefa solitária e difícil. Mas basta encontrar o apoio necessário, e o espinhoso caminho para a sua vida extraordinária pode ser percorrido com mais facilidade.

Antes de encontrar esse amparo, contudo, você precisa saber de que tipo de apoio precisa. Ele pode vir de muitas formas, tais como orientação, informação, dinheiro e relações pessoais. Encontre o suporte adequado, e o seu salto será mais fácil.

Podem fazer parte de sua rede de apoio pessoas das quais você precisa emocionalmente, amigos ou membros da família. Nela estariam também aqueles cujas vidas poderiam ser profundamente afetadas pelas mudanças que você está buscando. Ou pessoas de cuja ajuda você precise para alcançar suas metas.

Na busca desse apoio, desconfie dos que pensam negativamente e daqueles que drenam sua energia. Exatamente como a Voz Interior, essas pessoas fazem de tudo para tentar diminuir o seu entusiasmo, mesmo sendo bem-intencionadas. Procure cercar-se de gente que apóie os seus valores pessoais, que entenda suas paixões e acredite no seu ideal.

Para encontrar o apoio de que precisa, é necessário que você seja muito firme e articulado sobre seu ideal e os planos que traçou para alcançá-lo. Deixe claro para todos o compromisso que assumiu com esse ideal. Transmita-lhes a confiança que sente. Trabalhe duro para demonstrar o sucesso do seu plano.

Antes de partir em busca de ajuda, medite sobre essas perguntas:

- Essas pessoas estão suficientemente comprometidas com o meu esforço e serão capazes de me acompanhar, como prometem?
- O que espero delas?
- O que elas esperam de mim?
- Minhas expectativas em relação a esta pessoa ou organização são realistas?
- Qual o verdadeiro sentimento dessa pessoa em relação ao meu pedido de ajuda?

Exercícios de descoberta

1. Revise sua agenda pessoal, selecionando o maior número possível de pessoas ou organizações (dez a cinqüenta) que poderiam ajudá-lo. Faça uma lista de nomes e informações de contato, incluindo as áreas de atividade em que poderiam ajudá-lo a alcançar suas metas.
2. Dê uma olhada na lista. Estabeleça prioridades, em função das pessoas que considera mais passíveis de serem úteis. Reescreva a lista, situando no topo a sua mais provável fonte de apoio.

3. Percorra a lista para contactar cada pessoa ou organização. Compartilhe com elas suas idéias preliminares a respeito do seu ideal de uma vida extraordinária. Peça-lhes sugestões sobre a melhor maneira de perseguir esse ideal e para o colocarem em contato com outras pessoas de seu relacionamento que talvez possam ajudá-lo.
4. Descubra uma organização profissional que tenha uma relação com sua opção de carreira ou de vida. Compareça a uma de suas reuniões, a uma conferência ou oficina que ela tenha organizado. Faça o maior número de contatos possível. Estabeleça uma ligação com essas pessoas para obter informações adicionais sobre a opção de carreira ou de vida que está contemplando. Felicite-se por já ter começado a agir!

7

Lute por seu ideal

O papa exortava Michelangelo insistentemente a concluir o teto da Capela Sistina. Certa vez, ele respondeu: "Ele será concluído quando eu estiver satisfeito do ponto de vista artístico."

Vida de Michelangelo
Giorgio Vasari, 1568.

O papa Júlio II estava ansioso por mostrar ao mundo o grande afresco de Michelangelo no teto da Capela Sistina. Nem mesmo ele pudera vê-lo direito. Quando subia nos andaimes para observá-lo de perto, tinha apenas uma visão parcial, sem a perspectiva proporcionada pela distância. E a visão do piso da capela era completamente impedida pelos andaimes. O papa "era por natureza impetuoso e impaciente" (Ascanio Condivi, 1553), irritando-se com o progresso lento de Michelangelo na obra.

Em dado momento, quando o afresco ainda tinha seções incompletas e precisava de uma última camada de verniz, o papa Júlio II ordenou que os andaimes fossem retirados. Mas a pintura ainda não atingira a plenitude da forma concebida por Michelangelo. E se atendesse ao desejo do papa, desmontando os andaimes, o artista jamais poderia completar a obra. Afinal, seriam necessários meses para reconstruir o andaime, e se o papa, impaciente como era, visse o afresco, ainda que incompleto, nunca mais permitiria que voltasse a ser coberto.

Ainda assim, ele era, afinal, o sumo pontífice. E a voz de Deus na Terra insistia para que ele retirasse os andaimes.

Michelangelo tinha duas alternativas: negar-se a atender ao desejo do papa, escalar o andaime e continuar trabalhando ou dar ouvidos ao papa, retirar os andaimes e deixar sua obra-prima incompleta para sempre. Ou seja, enfrentar sua Igreja ou abandonar seu ideal.

Michelangelo decidiu lutar.

Como ele se recusasse a retirar os andaimes, o papa ordenou aos operários que os removessem, apesar do que dizia Michelangelo. Enfurecido, o pintor retirou-se da capela e foi para casa, gritando que voltaria para Florença e nunca mais poria os pés em Roma.

Quando já estava em casa arrumando tudo para viajar, Michelangelo ouviu baterem à porta. Eram os emissários do papa, que, vendo a intensidade de sua convicção, mudou de idéia. Agora, ele implorava a Michelangelo que voltasse ao trabalho e o concluísse à sua maneira.

Michelangelo vencera. Lutara por seu ideal e tivera êxito.

A verdade é que criar uma obra-prima é mesmo algo caótico: borrões de tinta pelo chão, lascas de mármore voando em todas as direções, acidentes que danificam a concepção geral, luta para entender a direção que você mesmo tomou, vários obstáculos para a conclusão do seu trabalho — adiamentos, falta de recursos, depressão, doença. Muitos grandes artistas morrem sozinhos e na penúria. Muitas obras-primas estão incompletas no fundo de porões. Outras são imperfeitas, prejudicadas pelos compromissos.

Como vê, quando nada parece dar certo, você tem duas opções: pode decidir que simplesmente não era para acontecer, abrindo mão do seu sonho, ou fazer pé firme e lutar pelo seu ideal.

Na verdade, contudo, não existe efetivamente uma escolha — caso você queira concretizar a obra-prima que precisa criar. Quando tiver de escolher entre lutar e fugir, opte por lutar.

Catherine

Catherine sempre torcia pelo perdedor. Adorava os jogadores azarados do time de beisebol New York Mets. Dava abrigo a cães vira-latas e gatos doentes. Até seu trabalho, como você deve lembrar, tinha a ver com os perdedores da economia americana: as pequenas empresas às quais fornecia serviços técnicos e administrativos.

Mas ela mesma não foi uma perdedora ao criar seu próprio empreendimento. Na verdade, observando de perto o mercado, Catherine estava levando vantagem.

Na época, muitas pessoas talentosas, como Catherine, perderam seus empregos por causa do enxugamento das empresas e, em vez de voltar a trabalhar para alguém, decidiram abrir um negócio próprio. Tendo deixado uma empresa que havia demitido centenas de trabalhadores inteligentes e produtivos, Catherine tinha acesso a toda uma clientela potencial.

Catherine entendeu a oportunidade que se apresentava e soube aproveitar-se dela. Quase nem precisou lançar mão do telefone. Quando as pessoas de seu relacionamento pessoal descobriram o que ela podia fazer em benefício de suas pequenas empresas, ela se viu inundada de solicitações. Parecia que conseguiria êxito simplesmente a partir de seus contatos pessoais. Catherine não acreditava que pudesse ser tão fácil assim.

O sucesso exige disciplina.

Quando jovem, Catherine mantinha sempre uma forma esplêndida. Com formação e experiência de cantora de ópera, ela tinha mesmo de cuidar do físico. Pois embora o estereótipo da cantora de ópera seja sempre o de uma mulher corpulenta, a verdade é que os cantores de ópera são verdadeiros atletas; seu instrumento é o corpo. E Catherine não era exceção: mantinha-se sempre em excelentes condições.

Mas isto acabara. Ao trocar a música pelo mundo corporativo, Catherine foi aos poucos perdendo a disciplina atlética. Aos 40 e tantos anos, ela acumulava um considerável excesso de peso.

Algo precisava mudar. Foi assim que, no emprego anterior, Catherine promoveu uma mudança radical em sua vida. Passou a se alimentar de maneira mais saudável e a praticar exercícios, o que a levou a perder quase 20kg.

Toda vez que passava pela frente do espelho, Catherine não conseguia conter o sorriso. Orgulhava-se de ser capaz de mudar as coisas de que não gostava em si mesma.

Mas ao abrir sua empresa, a imagem no espelho começou a aumentar de novo. Com o movimento inicial dos clientes e o esforço para criar sua empresa, Catherine começou a trabalhar mais arduamente. E o trabalho cobrou um preço em sua qualidade de vida.

Diante do estresse causado por sua crescente carga de trabalho, Catherine encontrava cada vez mais dificuldade para preservar seus hábitos saudáveis de alimentação. Simplesmente não tinha tempo de comprar legumes ou grelhar salmão. O tempo que sobrava era para passar no *drive-thru* do McDonald's. Não é à toa que esse tipo de alimentação se chama *fast food*, e Catherine comia cada vez mais esse tipo de lanche.

Mas o problema não era apenas a dieta. Quando caiu em si, Catherine estava comendo entre uma e outra visita aos clientes e também comia constantemente diante do computador. Tudo que aprendera sobre uma vida saudável fora atirado pela janela.

Em questão de poucos meses, o peso perdido havia retornado. Sua energia se esvaía. Ela encontrava mais dificuldade para subir escadas. Quando tinha de trabalhar fora de casa, às vezes descansava um pouco no início da tarde, para conseguir ir até o fim.

Algo estava errado. Claro que ela tinha parado de se alimentar de uma forma saudável, mas mesmo quando estava com um peso maior, não tivera esses problemas.

Suas prioridades devem mudar, para estar de acordo com sua realidade atual.

Catherine estava nervosa na sala de espera. Começou a fazer uma lista das coisas que podiam estar erradas com ela.

O médico ia recebê-la.

Ao ouvi-la descrever seus sintomas, ele não pôde disfarçar sua preocupação. Pediu exames, e depois de ter em mãos os resultados do exame de sangue, solicitou uma mamografia. Uma semana depois, quando lhe mostrou o resultado, estava evidente. Catherine tinha um tumor no seio esquerdo. O médico suspeitava de que fosse canceroso, o que foi confirmado pela biópsia. Catherine estava com câncer, e teria de se submeter à cirurgia e à quimioterapia para sobreviver.

Ela mal conseguia falar. Assentiu com a cabeça, tentando entender o que ele lhe dizia. Nos seis meses seguintes, sua vida mudaria radicalmente. Durante o tratamento, ela não conseguiria ter o mesmo desempenho com seus planos. Àquela altura, a empresa era sua menor preocupação.

Depois da remoção do tumor em seu seio esquerdo, Catherine passou a fazer quimioterapia. Durante cinco meses, fazia regularmente as penosas visitas ao hospital. Nas primeiras sessões de cada etapa do tratamento, era acometida de náuseas, sentindo-se fraca. Passavam-se alguns dias, e ela lentamente se recuperava. E quando já estava se sentindo melhor, começava tudo de novo.

Catherine perdeu o cabelo. Era uma luta diária para levantar-se da cama. Emagreceu com incrível rapidez. Mas ao fim dos cinco meses voltou ao consultório do médico com o câncer totalmente neutralizado.

Catherine sentia-se revigorada. Agora que havia chegado perto do limiar, a vida adquiria nova clareza e propósito. Cada dia era precioso. Estava na hora de voltar a cuidar do seu ideal.

Lute para abrir caminho em meio aos reveses da vida.

A vida não obedece simplesmente à nossa vontade. Existe um movimento de fluxo e refluxo. Às vezes as coisas correm bem. O seu novo negócio vai de vento em popa. Você muda de estilo de vida, alimenta-se de maneira mais saudável e perde quase 20kg. Parece radiante ao percorrer o tapete vermelho para receber o seu Oscar. Porém, às vezes, a vida lhe traz um câncer. Nós temos de identificar o fluxo, prever o retrocesso e lutar para seguir em frente.

Quando Catherine finalmente voltou à loja depois de seis meses, havia mais refluxo do que fluxo. As coisas ficaram tão feias que ela começou a se preocupar: será que os clientes voltariam um dia? Ficava do lado do telefone torcendo para que tocasse, na expectativa de que alguns dos antigos clientes ajudassem, da mesma forma que aconteceu na época de seus primeiros sucessos. Finalmente, depois de um mês sem fazer negócios, telefonou-me para marcar uma reunião.

— Não entendo o que está acontecendo. Estava tudo indo tão bem há um ano. Talvez eu não tenha feito as coisas direito — queixou-se ela quando nos encontramos.

Com toda evidência, a Voz voltara a se manifestar na vida de Catherine.

— Você realmente acha que foi por não ter trabalhado direito ou por ter ficado doente? — perguntei.

— Eu sei, eu sei. Estou deixando a Voz ganhar terreno. Mas não consigo entender. Eu estava muito bem, cheia de clientes, e agora, seis meses depois, a torneira secou completamente. Com tudo por que passei, simplesmente não tenho dinheiro para me manter na superfície nessas marés baixas.

— Mas você precisa apenas manter-se na superfície? Você tem um ideal. Que obstáculos ele está enfrentando?

— Minha dificuldade de encontrar clientes.

— E o que a impede de superá-los?

Catherine evitava o meu olhar. Na verdade, estava evitando alguma outra coisa, embora eu não soubesse bem o quê.

— Tudo bem. Eu sei. Preciso iniciar um plano de marketing. Sei o que preciso fazer. Imagino que vou ter mesmo de fazê-lo.

— Qual a pior coisa que poderia acontecer se você apostasse tudo num plano de marketing?

— Provavelmente, não conseguir novos clientes.

— Não é o que está acontecendo agora?

Catherine deu um suspiro.

— E qual é a melhor coisa que poderia acontecer?

— Meu negócio cresceria, eu contrataria mais empregados, me aposentaria na Itália e passaria o resto dos meus dias ouvindo Puccini.

— A pergunta que precisa fazer a si mesma é se está disposta a lutar para alcançar o sucesso que ambiciona. A diferença entre sucesso e fracasso não está na força do seu ideal, mas na sua disposição de lutar por ele.

Conversamos sobre suas questões e bloqueios, e traçamos um plano.

Na manhã seguinte, Catherine começou a pô-lo em prática. Mostrou o quanto estava disposta a lutar. Fez uma lista de possíveis contatos. Telefonou para antigos clientes. Traçou um plano para alcançar suas metas de rendimento. Fez uma relação de clientes em potencial a serem contactados. Em menos de duas semanas, Catherine estava pronta para entrar em ação.

Enfrente suas inseguranças para evitar adiamentos.

Catherine detestava telefonar para desconhecidos para oferecer produtos. Estava em sua mesa, com o telefone à frente. Pegou a agenda e começou a pensar por onde começar. O óbvio seria começar pela letra A, é claro, mas ela também poderia perfeitamente começar pelo meio, ou pelo fim. Podia até pular daqui para ali: do C para o A, depois para o X ou o Y.

Catherine traçou colunas para se certificar de organizar bem as informações relevantes para serem arquivadas. Colocou Wagner para tocar, e conseguir se animar. Estava pronta para começar. Mas não! Espera aí! Teria de beber um copo d'água. Era preciso hidratar as cordas vocais. E também precisava dar comida ao gato: com fome, ele certamente viria interrompê-la no momento de fechar um negócio.

Quando finalmente Catherine se dispôs a dar o primeiro telefonema, já se haviam passado duas horas. Dez mensagens de secretária eletrônica depois, ela se deparou com uma primeira possibilidade.

— Alô — disse uma voz de baixo ressonante. O dedo de Catherine apontava seu nome na agenda: Sr. Jerry Tzechekski.

Tzechekski?! O coração de Catherine pulava como um bloco de carnaval. Ela tentava pronunciar mentalmente o nome. Jamais seria capaz de pronunciar aquele nome: Tzechekski! Mas era melhor dizer alguma coisa, e bem depressa.

— Oi, Jerry, aqui é Catherine O'Connell, da SBC Associates. — Sua voz sumiu. Muito bonito: uma antiga cantora de ópera, e a voz sumia! A coisa não estava começando nada bem. — Eu queria tomar um pouquinho do seu tempo para... — Catherine deteve-se por um momento; começava a achar que o momento podia por não ser o melhor para Jerry. Sim, não era um bom momento.

— Desculpe, mas pode falar agora?

— Na verdade, vou começar uma reunião neste momento. Poderia telefonar outra hora?

— Claro. Não tem problema. Obrigada.

Ela desligou, ao mesmo tempo frustrada e aliviada.

E então a Voz voltou a se manifestar. "E aí, Cath, se nem consegue falar com Jerry, como é que vai para a frente?"

Catherine sacudiu aquela impressão e olhou a agenda novamente. Como vou conseguir clientes? E se não conseguí-los, como vou pagar minhas contas?

A agenda não respondia.

Quando nos encontramos na semana seguinte, Catherine já começou com sua ladainha de queixas e frustrações.

— Primeiro deixei de ser promovida por ser mulher, depois a demissão, o câncer, agora essa falta de clientes e minha total incompetência para vender. Como é que eu vou conseguir superar todos esses obstáculos?

— Você lembra de quando perdeu o emprego? Quando eu perguntei qual a melhor coisa que poderia acontecer depois de perder o emprego, você respondeu que seria abrir um negócio próprio. Por que disse isso?

Catherine sabia perfeitamente por quê.

— Porque estava farta de ver executivos decidindo o que eu podia ou não fazer. E também queria influenciar a vida de outras pessoas, fornecendo serviços para ajudá-las a dispor de mais tempo e serem mais produtivas em seus negócios.

— Eu sei que você põe toda a sua energia nisso. E é evidente que está tentando alcançar suas metas. Mas precisa estar preparada para sofrer reveses se quiser ter êxito. Sabia que os pequenos empresários amargam em média três fracassos até encontrar a fórmula certa do sucesso? Os que acabam vencendo tiveram de lutar por seu ideal a cada passo.

Catherine assentiu calmamente com a cabeça.

— Sim, eu sei. E me considero uma lutadora. Mas como vou enfrentar esta situação?

Seja inovador ao lutar pelo seu ideal.

Para que seu negócio sobrevivesse frente a todos os desafios, Catherine teria de lutar de outra maneira pelo seu ideal.

Ela sabia o que estava enfrentando: sua resistência às vendas por telefone e a tendência a desanimar quando alguma coisa dava errado.

Mas também conhecia seus pontos fortes. Os profissionais com os quais já havia trabalhado se dispunham de bom grado a dar boas referências suas. Catherine tinha um entusiasmo contagiante e uma atitude de plena confiança profissional. E sobretudo era muito boa no que fazia. Se as autoridades no seu campo de atuação procurassem pelo menos se informar e vissem do que era capaz, certamente desejariam trabalhar com ela.

Precisávamos de uma estratégia inovadora para enfrentar aquela batalha. Catherine e eu passamos a explorar as alternativas que se ofereciam a ela para fazer as coisas de outra maneira. Como seria possível conseguir clientes sem oferecer serviços pelo telefone? Como poderia mostrar quem era aos clientes em potencial sem recorrer às formalidades de praxe, às vezes tão inconvenientes? Ficamos examinando detidamente o campo de batalha. Se Catherine pelo menos conseguisse que as pessoas viessem até ela, constatando seu profissionalismo, sua paixão e seu alto grau de competência, elas certamente desejariam contratar seus serviços.

"Que tal recorrer a uma rede de contatos?", sugeri. Ela imediatamente agarrou a idéia e foi em frente. Se pudesse ligar-se a um grupo de profissionais bem situados, mantendo regularmente contato pessoal com eles, ela poderia convencê-los a enviar-lhe clientes em potencial. Mencionei várias organizações de contatos empresariais que eu conhecia e ela decidiu verificar se tinham filiais na cidade. Um plano começava a tomar forma.

Em apenas uma semana, Catherine já se ligara a um dos grupos de apoio que funcionavam na cidade. Os resultados foram incríveis. Aquela mesma mulher que não conseguia dar um telefonema profissional a um estranho não tinha qualquer problema para trocar contatos de negócios com pessoas com as quais tomava o café-da-manhã uma vez por semana. Catherine seguia com empenho as indicações que recebia e se mostrava generosa na ajuda que oferecia para que outros membros do grupo também encontrassem clientes. Tratava de abrir caminho para os companheiros dando ela mesma alguns telefonemas, e eles por sua vez faziam o mesmo por ela. Surgiram novas amizades, que por sua vez levaram a novos contatos. Sempre que possível, ela dava um jeito de se encontrar pessoalmente com clientes em potencial. Passados alguns meses, seu negócio começou novamente a prosperar.

Catherine, a sobrevivente, enfrentara a batalha mais importante para concretizar seu ideal e saíra vitoriosa.

Michelangelo e a fortificação de Florença

Tomar a decisão de enfrentar as forças que se opõem ao seu ideal é uma coisa. Decidir como empreender essa luta é outra. Na verdade, se você não for capaz de entrar nessa batalha da maneira mais indicada, a luta levará apenas a obstáculos ainda maiores — e a fracassos ainda piores.

Imagine que você estivesse realmente lutando pela vida e pela pátria. E que entre você e a sua obra-prima se interpusesse um exército estrangeiro. Pense então na situação de Michelangelo quando, em abril de 1529, exércitos espanhóis e alemães saquearam Roma e começaram uma longa marcha para Florença.

Michelangelo era um patriota florentino. O seu *David* fora escolhido para figurar na principal praça da cidade como símbolo de Florença e de seu estilo de vida frente a qualquer invasor. Por outro lado, ele também era conhecido, conforme sabemos, como um dos maiores gênios criadores de sua época. O Conselho dos Nove de Florença sabia perfeitamente de tudo isto, e decidiu encarregá-lo de conceber as defesas da cidade. Michelangelo, que nunca construíra uma fortificação, decidiu aceitar o desafio.

Tradicionalmente, cidades como Florença eram protegidas dos ataques por sua geografia montanhosa e pelas maciças muralhas de pedra que marcavam seus limites. Roma fora fortificada dessa forma. E acabava de ser saqueada pelo mesmo exército que agora marchava em direção a Florença. Como Michelangelo poderia erguer uma estrutura capaz de deter essa força aparentemente incontrolável?

Michelangelo começou a pensar no ataque que se aproximava. Visualizou a investida, mobilizou sua força e seus recursos e concebeu uma forma criativa de proteger sua cidade.

Depois de estudar o terreno e as táticas de guerra preferidas pelos exércitos agressores, Michelangelo recomendou uma estratégia radical para a defesa de Florença. Em vez de reforçar as muralhas da cidade, ele sugeriu que fosse construída uma pesada fortificação numa colina que se encontrava no principal caminho para Florença. Dali, os florentinos poderiam não apenas defender a cidade como também atacar os invasores estrangeiros.

Mas Michelangelo não parou por aí. Inventou também uma série de inovações cruciais. Ao contrário da maioria das fortificações da época, as de Michelangelo não eram meras torres. Eram estruturas em forma de estrela com rampas e declives que permitiam a rápida mobilização de reforços. Além disso, suas fortificações tinham plataformas de artilharia bem elevadas em relação ao solo, proporcionando um alcance maior de tiro e tornando-as menos vulneráveis aos ataques. Por fim, Michelangelo criou engenhosas barreiras para proteger os campanários das igrejas e mosteiros, usados como postos de observação para manobras ofensivas e defensivas.

Em setembro de 1529, Florença foi atacada por um enorme exército de tropas espanholas e alemãs comandadas pelo príncipe de Orange e reforçadas por soldados da Lombardia. Apesar dos meses de preparação, os exércitos estrangeiros, fustigados pelos soldados florentinos, não conseguiram romper as fortificações de Michelangelo ou sequer destruir os campanários.

Preveja os golpes.

Criar a sua obra-prima é mais ou menos como ir à guerra. Enquanto você empreende o duro trabalho de revelar ao mundo sua obra-prima, ele vem em sua direção, atacando seu precioso ideal. Sua única escolha é lutar por aquilo em que acredita. Como fez Michelangelo na defesa de Florença, você precisa preparar-se para os golpes, reunir energia e recursos e desenvolver uma estratégia inovadora.

Daniel

Daniel é o filho do meu melhor amigo na faculdade, Vince, de modo que eu conhecia bem sua história. Ele confiava em mim e, de vez em quando, eu o orientava de maneira informal. Convidava-o a vir conversar sobre suas experiências e pedia sua autorização para compartilhá-las com outras pessoas, para mostrar como, com determinação, os sonhos podem ser adiados e depois resgatados.

Daniel adorava beisebol. E também jogava bem. Segundo melhor marcador de pontos no time do ensino médio, ele era um excelente corredor, mas tinha um ponto fraco: não era forte. Com 1,75m de altura e 68kg, simplesmente não tinha peso suficiente para pegar as bolas de arremesso mais forte. Mas não lhe faltava determinação. Certo dia, o treinador disse que lhe daria 100 dólares se ele conseguisse mandar a bola por cima da cerca, lance mais desejado por qualquer jogador de beisebol e proeza que Daniel nunca chegara perto de conseguir. Ele começou então a trabalhar duro, quase diariamente, para ganhar mais força, e no antepenúltimo jogo da temporada conquistou os seus 100 dólares.

Daniel sabia exatamente o que queria fazer quando se tornasse adulto: ensinar história e treinar beisebol. "Desde os 3 anos de idade eu gosto muito de beisebol. E o meu pai inspirou a minha paixão pela história. Ele adorava contar histórias sobre a maneira como as pessoas viviam muitos anos atrás. E provavelmente isto deixou uma profunda impressão em mim. Acho que as pessoas deviam prestar mais atenção no passado."

Os pais de Daniel, Vince e Elizabeth, apoiavam sua paixão pelo beisebol, mandando-o para um campo de treinamento no verão, comprando os melhores equipamentos e torcendo em seus jogos.

Mas a maneira como o apoiavam e se sacrificavam por ele ia muito além dos esportes. Quando Daniel tinha 7 anos, eles se mudaram para o subúrbio, para que ele pudesse desfrutar da segurança e do ar fresco. Para isto, Vince tinha de viajar diariamente duas horas para chegar ao trabalho, mas acreditava na necessidade de se sacrificar pela família.

Nas férias, Vince geralmente planejava uma viagem a um dos parques nacionais, onde a família podia apreciar as paisagens espetaculares e aprender um pouco de história natural. Durante a viagem, Elizabeth ensinava suas canções favoritas, que passavam a ser entoadas por Vince e Daniel — nem sempre com os melhores resultados. Daniel adorava tirar fotos da paisagem com sua Polaroid. Toda noite ele colocava as fotos em seu álbum e escrevia legendas como se fossem uma espécie de diário de viagem.

Os feriados também eram um momento especial. No dia de Ação de Graças, os parentes enchiam a casa. E no Natal, por mais frio que estivesse, Elizabeth, Vince e Daniel passeavam pela vizinhança para celebrar, e às vezes os vizinhos juntavam-se a eles, oferecendo bebidas quentes ou simplesmente saindo para cantar também.

Vince e Elizabeth gostavam de levar uma vida simples e amorosa: os amigos e a família eram importantes, os bens materiais, não muito. Foram esses os valores que transmitiram a Daniel. Transmitiram-lhe também uma forte ética do trabalho. Vince começara a vida como contador num banco, chegando a gerente de uma das agências. Elizabeth começou como assistente de ensino, chegando a professora numa creche.

A vida em casa era muito bem estruturada, e Daniel tinha tarefas diárias a cumprir. Ele tinha de manter seu quarto limpo e arrumado, lavar a louça, lavar a própria roupa, levar o lixo para fora e passear com o cachorro. Das 7 às 9 da noite, todos os dias da semana, fazia seus deveres de casa. Fora da temporada de beisebol, Daniel fazia entrega de jornais e, no verão, treinava num campo de beisebol.

Nem sempre é possível viver o sonho americano.

Daniel e sua família viviam o sonho americano. Até que, aos 43 anos, Vince recebeu um diagnóstico de tumor no cérebro. Há algum tempo já vinha tentando saber o que poderia ser um zumbido no ouvido, mas, com sua aversão a médicos, não se deu o trabalho de investigar, até começarem as dores de cabeça. Infelizmente, o câncer progrediu rapidamente. Menos de um ano depois, Vince estava morto. Deixou a família sem dívidas, mas sem muitos bens além dos recursos de uma pequena apólice de seguros.

"Eu não sabia que papai estava morrendo até ver tudo acontecer", contou Daniel. "Fiquei chocado. Não ia muito ao hospital porque não tinha conhecimento da gravidade da situação, e isto me deixou mal por muito tempo. Foi muito difícil. Um filho precisa do pai para muitas coisas. Nos primeiros anos, foi uma verdadeira luta, e depois também não melhorou muito."

Elizabeth lutava para manter o estilo de vida a que a família estivera acostumada antes da morte de Vince. Voltou a trabalhar em tempo integral, e os amigos e a família ajudavam a cuidar de Daniel em sua ausência. Ela acabou entrando em depressão. "Minha mãe tinha medo de tudo", comentou Daniel. Mais tarde, ela seria acometida de esclerose múltipla. "O corpo dela não agüentava mais", explicou Daniel. "Essa doença também afeta o cérebro. Ela tinha comportamentos absolutamente irracionais. No início, eu ficava furioso com ela, e gritava muito por se comportar daquela maneira. Mas a assistente social explicou que era por causa da doença."

Daniel ainda freqüentava o ensino médio e o dinheiro já começava a faltar. Tentei ajudar Elizabeth a cortar as despesas e planejar um orçamento, mas ela não conseguia lidar ao mesmo tempo com todas as responsabilidades, a depressão e também com a esclerose múltipla. Daniel, então com 16 anos, entrou em cena novamente, desta vez para ajudar a mãe a equilibrar o orçamento.

"Quando ainda estava no ensino fundamental, comecei a trabalhar depois da escola porque não tínhamos muito dinheiro. Na época, eu trabalhava em uma locadora de vídeo. Praticamente gerenciava a loja quando estava chegando ao fim do ensino médio. O dono me incumbia de cuidar do dinheiro e tudo o mais. Eu perdia muitas coisas que os garotos da minha idade faziam. Não podia, por exemplo, sair com os amigos, pois ficava trabalhando na loja até tarde."

O destino acabou intervindo, na forma de um gordo cheque de seguro de vida. Quando tinha 15 anos, Daniel participou de um vôo num pequeno avião pilotado pelo tio de um amigo. "Tínhamos de sobrevoar uma fileira de árvores, mas batemos nelas. Foi o meu lado do avião que se chocou com uma das árvores. Eu fiquei bastante ferido e fui levado para um hospital. A recuperação física foi difícil, mas, anos depois, quando saiu a indenização, tive dinheiro para comprar a locadora. Na época o que eu queria realmente era entrar para a faculdade. Mas não deu certo. Já tinha muitas responsabilidades em casa."

Agora com 18 anos, Daniel estava empenhado em transformar a loja num sucesso. "Nós realmente precisávamos daquele dinheiro. Eu trabalhava como um louco, o dia inteiro, todo dia, sete dias por semana, 13 horas por dia. Durante um ano inteiro, eu acordava, ia para a loja, voltava para casa e ia dormir. Não fazia mais nada.

"Enquanto todos os meus amigos freqüentavam a faculdade, sustentados pelos pais, eu tinha de lutar para conseguir tudo. Precisava cuidar da minha mãe e resolver as coisas para ela. Consegui renovar a hipoteca da casa em meu nome com juros muito mais baixos e usei o dinheiro que sobrou para reformá-la. Aos 20 anos, eu parecia um cara de 35 sustentando a família."

Às vezes é melhor ter sorte do que ser bom.

"Vendi a locadora antes que os negócios começassem a entrar em declínio. Tive muita sorte. Com o tempo, a competição das grandes cadeias e dos serviços de aluguel pela internet acabaram matando as locadoras independentes. Eu me safei a tempo. Pura sorte. Não que eu tivesse me dado conta do que estava para acontecer. Simplesmente não podia continuar daquele jeito."

Chegando aos 21 anos, Daniel tinha agora algum dinheiro guardado. Decidiu então que precisava encontrar uma maneira de obter a ajuda de que a mãe precisava e botar sua própria vida nos trilhos. Conversou com parentes e amigos dela para ver se podiam ajudar de alguma maneira. Seu tio concordou que ela fosse viver com ele. Daniel a visitava com freqüência, mas agora tinha liberdade para voltar a freqüentar seus próprios sonhos.

Um sonho adiado por muito tempo pode ser um sonho perdido.

Daniel podia ter gastado o dinheiro para passar o ano na vida mansa: viagens, praia, jogos... Certamente podia se considerar com direito a um descanso. Mas se deu conta de que um sonho adiado por muito tempo pode estar perdido para sempre. Queria sair em busca novamente de seu sonho de ensinar história e treinar beisebol.

"Entrei para a faculdade e agora freqüento aulas em tempo integral, fazendo o que realmente quero pela primeira vez em seis anos. Minha experiência no ensino universitário não será como a dos meus amigos. Eu sou mais velho. Vai ser simplesmente estudar e ir em frente. Mas se precisei perder algumas coisas para ajudar minha mãe, era assim que tinha de ser.

"Daqui a dois anos, terei um diploma de bacharel em história. Fui chamado para trabalhar como assistente do treinador na minha escola no verão passado. E adorei ensinar o básico do beisebol à garotada. Eles estavam loucos para aprender, e foi mesmo muito estimulante ser o instrutor deles. O treinador quer que eu volte depois que me formar. Estou muito animado.

"Agora já não tenho muito com que me preocupar. Pela primeira vez na vida, não preciso ficar apreensivo com as contas. Preciso apenas me focar no que quero fazer e me concentrar nas minhas metas."

Lute pelo seu ideal.

"Sempre fui meio teimoso, aquele sujeito que cisma e vai em frente. Acontecia um imprevisto, e eu simplesmente dizia: 'Tenho de passar por isto.' A única alternativa era desistir, o que nunca seria o meu caso. Era assim que eu via as coisas. Eu sempre achei que acabaria conseguindo o que queria. Ainda acho que, quando a gente quer uma coisa e trabalha para conseguir, acaba chegando lá. E quando isto acontece, quanto mais duro tiver dado, mais gratificante será.

"A vida às vezes é muito difícil, mas a gente tem de lutar nas fases ruins. Precisamos ter um projeto na vida, um sonho para nos guiar. Caso contrário, flutuamos ao sabor das ondas e acabamos nos perdendo. E é preciso ter muita vontade de trabalhar. Sempre haverá uma possibilidade de êxito quando a gente está disposto a lutar."

Esculpa a sua obra-prima particular

A criação de uma obra-prima é sempre problemática. Os mais diversos tipos de problemas certamente já atrapalharam em algum momento a criação de uma obra-prima. E aquelas que hoje encontramos nos museus, maravilhosamente inspiradoras, só se concretizaram porque os artistas lutaram por seu ideal.

Quem consegue chegar lá nunca foge de um desafio. Essas pessoas lutam contra todas as probabilidades, assim como Michelangelo lutou para terminar sua visão do teto da Capela Sistina, confrontando a vontade do papa.

O fato é que uma única pessoa é responsável pelo sucesso ou o fracasso da sua visão: você. Revista-se de sua responsabilidade pessoal e aceite as lutas que pode ter pela frente, e assim estará dando mais um passo para concretizar sua obra-prima.

Para ter êxito na luta por seu ideal, você deve não só empenhar-se, mas também prever os obstáculos. Assim como Michelangelo estudou as estratégias do inimigo para criar a fortaleza que protegeria Florença, você precisa analisar as possíveis barreiras a serem enfrentadas para mudar e desenvolver uma estratégia inovadora, capaz de dar conta delas. Ao traçar seu plano, faça a si mesmo as seguintes perguntas:

- O que poderia dar errado nessa situação?
- Quais os indícios de possíveis problemas?
- Com que posso contar, em minha experiência, para superar esse obstáculo?
- De que outros recursos preciso para superá-lo?
- Que planos devo traçar para superar outros possíveis obstáculos?

Ao lutar pelo seu ideal, conscientize-se de que certos obstáculos podem, na verdade, constituir oportunidades a longo prazo. Tenha cuidado, portanto, ao mudar de orientação. Salvo em caso de algum motivo determinante para alterar o seu plano, siga-o tal como é e continue lutando pelo seu ideal.

Exercícios de descoberta

1. Anote numa folha de papel as cinco principais condições necessárias para a mudança de vida que você deseja — por exemplo, educação, experiência, dinheiro, capacitação e apoio da família.

2. Examine a sua lista. Que dificuldade apresentará a concretização de cada uma dessas exigências? Atribua a cada uma delas uma nota de 1 a 10 (10 para a mais difícil) em função do esforço, do custo e do tempo necessários, assim como dos obstáculos previsíveis.
3. Some agora os índices de dificuldade de todas as tarefas (sendo 50 o número máximo de pontos). Quanto mais alto o total, mais difícil será concretizar o seu ideal. Um total superior a 25 indica que você tem um duro combate pela frente.
4. Para cada necessidade à qual tenha atribuído nota igual ou superior a 5, examine os principais obstáculos internos (encontrados em você mesmo) e externos (determinados pela situação) capazes de dificultar o seu êxito. Se uma das principais exigências for o apoio da família, seu principal obstáculo interno pode ser a dificuldade de se afirmar, e o principal obstáculo externo talvez seja o preconceito de um membro da família em relação à carreira que você escolheu. Ou então, se um dos principais requisitos for a capacidade de análise, o seu principal obstáculo interno pode ser uma antiga aversão à matemática, e o externo, um percurso de duas horas para freqüentar um curso de treinamento. Relacione por escrito esses obstáculos, mantendo-os sempre à mão como lembretes dos desafios que tem pela frente.

Agora, prepare-se! Por mais árduo que seja o caminho à frente, o sucesso é possível se você estiver disposto a se preparar primeiro, para só então lutar.

8

Use sua própria experiência de forma criativa

Quando Michelangelo precisou de um andaime para pintar o teto da Capela Sistina, o papa Júlio II convocou Bramante, o principal arquiteto da época. Mas Bramante não encontrou uma maneira de construir o andaime sem fazer perfurações que danificariam o afresco. Era necessário encontrar uma solução absolutamente inovadora. Levada a questão ao papa, ele voltou-se para Michelangelo e disse: "Se não funcionar dessa forma, trate você mesmo de construir o andaime." Michelangelo desmontou o que já estava feito e economizou tantas cordas que as doou a um de seus auxiliares, o qual foi capaz de custear o casamento de duas filhas com o dinheiro da venda. Michelangelo ergueu seu novo andaime sem cordas, tão bem articulado e encaixado que ficava mais seguro quanto maior fosse o peso sobre ele.

Vida de Michelangelo
Ascanio Condivi, 1553.

A paisagem de Roma abriga algumas das maiores obras-primas da arquitetura: o Coliseu, o Panteão, o Arco de Constantino. Entre esses tesouros romanos está a magnífica cúpula da Basílica de São Pedro. Contemplando hoje essa estrutura célebre — na qual se baseou o projeto do Capitólio americano em Washington —, fica difícil acreditar que ela quase não foi concluída.

O projeto da Basílica de São Pedro foi iniciado em 1506 por um dos maiores arquitetos do Renascimento italiano, Donato Bramante. Infelizmente, ele morreu em 1514, sem ter tido tempo sequer de se aproximar da conclusão do projeto. E o que Bramante deixou foi uma bela idéia e uma série de problemas arquitetônicos aparentemente insolúveis que impediam a construção da grande cúpula.

No projeto de Bramante, a cúpula seria o glorioso remate da construção. Elevando-se em direção ao céu, ela permitiria contemplar do alto toda a paisagem romana. Ao longo dos quarenta anos seguintes, sucessivos papas convidaram diferentes arquitetos a concluir a basílica concebida por Bramante. Um após o outro, eles tentavam encontrar soluções elegantes para as muitas questões estruturais suscitadas pelo projeto. E um após o outro, todos fracassavam.

Houve também aqueles que não tentaram concluir o projeto de Bramante. Considerando que poderiam aperfeiçoar as idéias já ventiladas e finalmente chegar à conclusão da obra, esses arquitetos resolveram criar uma versão própria, mas sem êxito. Também eles fracassaram, sendo substituídos.

Já parecia que nenhum arquiteto seria capaz de desenvolver um projeto que fosse ao mesmo tempo estruturalmente sólido e divinamente belo — até que chegou o reinado do papa Paulo III.

Paulo III entendeu que, para levar a cabo aquela difícil tarefa, seria necessário um autêntico gênio criador, alguém que se mostrasse capaz de uma abordagem inovadora frente aos intimidantes problemas estruturais. O papa precisava de Michelangelo.

Michelangelo criticara ao longo dos anos as diferentes concepções da basílica, defendendo o projeto original de Bramante.

Mas ninguém se torna arquiteto de uma hora para outra. Para exercer esta profissão, é preciso acumular muito conhecimento. Estruturas e espaços, análise funcional, gestão de projetos: o currículo de estudos de um grande arquiteto é bastante vasto. Michelangelo nunca lera uma só palavra a respeito.

Ao ser escolhido para a missão, Michelangelo sequer podia ser considerado um arquiteto. Não existe qualquer registro de que tenha feito estudos nesse campo. E nos poucos trabalhos que fizera nesse terreno, embora demonstrassem grande imaginação, ele geralmente estava acompanhado de um arquiteto formado. Além disso, quando o papa Paulo III convidou Michelangelo para ser o principal arquiteto de São Pedro, o grande artista já passava dos 70 anos de idade.

Naturalmente, nada disto deteve Michelangelo.

Todos sabemos o que aconteceu depois. O papa convida Michelangelo a concluir o trabalho na basílica. Michelangelo vislumbra mais uma obra-prima. E tudo se encaixa perfeitamente, como uma música cheia de harmonia.

Mas fica a pergunta: como foi que ele conseguiu? Como pôde demonstrar domínio num campo no qual não tinha qualquer treinamento formal, mas apenas experiências limitadas? Como foi que Michelangelo projetou e construiu uma das maiores estruturas da cidade de Roma?

Michelangelo levou em conta o que sabia e foi além.

Sem a capacidade de relacionar diferentes experiências, é praticamente impossível criar uma obra-prima, mesmo quando você sabe o que está fazendo. Seja encontrando uma solução nova para um problema comum, reunindo diferentes meios de expressão, criando novas formas ou simplesmente encarando um obstáculo sério por outro ângulo, identificar os recursos inerentes à sua experiência pessoal e intransferível leva às inovações que se transformam em obras-primas.

Parece simples, não é mesmo? Mas não é. Inovar nunca é uma tarefa simples. Para isto, é preciso ganhar um novo par de olhos, virar as idéias de ponta-cabeça e virar pelo avesso tudo que você sabe. O que nunca foi fácil.

Para ser um inovador, você precisa pensar de uma forma que nunca pensou antes — ou, melhor ainda, de uma forma que ninguém jamais pensou. Precisa examinar atentamente tudo que sabe e, então, se aprofundar ainda mais nesse conhecimento, para identificar os fios que mantêm tudo estruturado.

Encontrar as conexões entre suas experiências pessoais e intransferíveis leva às inovações que se transformam em obras-primas.

Michelangelo era um mestre em matéria de olhar a realidade mais profundamente, e sua paixão pela compreensão aprofundada das coisas fica evidente sobretudo em seus estudos das formas humanas, que considerava essenciais à sua arte.

Em seu período de aprendizado com o mestre Ghirlandaio, Michelangelo destacou-se por seu talento para dar vida ao traçado das formas humanas numa página em branco. Esse talento fica evidente em seus primeiros desenhos: o panejamento do vestuário, as saliências dos músculos, o gesto flexível de uma mão feminina.

Suas esculturas mostram similaridade quanto ao entendimento do traçado. Em suas grandes obras-primas, logo fica evidente a capacidade de dar vida tridimensional aos esboços. A perspectiva dos corpos na *Pietà*, as proporções perfeitas do *David* — todas essas incríveis superfícies de mármore talhadas pelo cinzel do mestre.

Mas Michelangelo não se contentava com a reprodução da superfície. Ele sabia que por baixo dela havia algo mais profundo, algo que tornaria suas obras ainda mais brilhantes. Por baixo das pregas das vestimentas, por baixo da aparência da carne estava a máquina divina, a engenharia da vida. Para reproduzir verdadeiramente um corpo humano, Michelangelo precisava entender o sistema em que se uniam forma, função e estrutura.

Infelizmente, para ele, a única maneira de ver esse sistema em funcionamento era cometer algo que poderia ser considerado um pecado mortal. Na época de Michelangelo, a dissecção de corpos humanos não era permitida pela Igreja Católica. Contudo, intuitivamente consciente da importância desse conhecimento, Michelangelo não se deixou deter. Pressionou as autoridades da Igreja para que lhe concedessem o privilégio de ver o funcionamento da vida. Depois de muito empenho, recebeu uma autorização especial para dissecar corpos em um hospital próximo, à espera de serem enterrados.

Trabalhando com os cadáveres, Michelangelo constatou que seus instintos estavam certos. O conhecimento da anatomia que adquiriu através da dissecção aumentou ainda mais seu já prodigioso talento para o desenho, contribuindo, em última análise, para a reprodução das formas humanas em suas grandes obras-primas.

Talvez seja difícil acreditar, mas esse conhecimento da anatomia também pode ter constituído uma das chaves para os problemas da Basílica de São Pedro.

Como não tinha uma formação acadêmica como arquiteto, Michelangelo encarava a arquitetura do ponto de vista do escultor. Para isto, examinava em profundidade tudo aquilo que conhecia e sintetizava ligações inovadoras.

Como escultor, Michelangelo entendia a física da pedra. Com base na criação dos afrescos da Capela Sistina, sabia como forjar projetos de grande escala. Ao erigir as fortificações de Florença, aprendeu os princípios da construção. E naturalmente sua prática como pintor lhe havia ensinado a criar o belo com o jogo de sombras, luzes e formas.

Mas a chave para a concepção de uma forma para a problemática cúpula foi a compreensão que Michelangelo tinha das estruturas. Sua inovação consistiu em conceber a estrutura arquitetônica como análoga à elegância do sistema humano. Analisando mais profundamente seu conhecimento da anatomia humana, ele viu suas ligações com a anatomia estrutural, inclusive a de um prédio. O resultado dessa forma inovadora de pensar foi uma concepção estrutural tão brilhante que continuou sendo usada muitos e muitos anos depois de sua morte — num merecido tributo a um dos maiores gênios da história.

Ben

Eram os últimos segundos do campeonato de futebol feminino, a grande revanche da final do ano anterior: West Millburn contra Crestwood. E o jogo estava empatado.

Na arquibancada, Ben tentava se divertir. Fora exatamente por isto que fizera a transição para uma nova carreira: passar mais tempo com a família, estar ali vendo a filha, Tessa, principal estrela da defesa do Crestwood, jogando contra as arqui-rivais.

Mas embora em qualquer outra oportunidade nada o pudesse alegrar mais que a vitória do time de Tessa, hoje Ben estava com muitas preocupações na cabeça.

Ele havia passado do trabalho social ao governo, depois aos bancos de investimento, e agora se dedicava à criação de habitações para pessoas de baixa renda. Ele e os sócios haviam fundado sua empresa recorrendo às famílias e aos amigos. Embora o plano tivesse funcionado muito bem, também gerava uma enorme pressão para que os negócios tivessem êxito.

Em qualquer investimento, especialmente uma nova empresa, existe um alto grau de risco. Somando-se família e amigos à equação, o risco aumenta drasticamente. Ao tomar emprestado dinheiro de pessoas próximas, você não só põe em risco suas economias duramente acumuladas como também se arrisca em seus relacionamentos mais importantes e profundos.

Hoje, enquanto observava a filha levar a bola em direção ao gol do adversário, Ben pensava em como poderia fazer o novo negócio funcionar.

Juntamente com os sócios, ele decidira centrar sua ação num público-alvo mais idoso, de baixa renda, residente nas áreas urbanas. Para ter êxito, eles precisariam apresentar projetos. Mas encontrá-los era extremamente difícil, pois praticamente todos os terrenos adequados já estavam nas mãos das empreiteiras, para a construção de residências e condomínios para famílias de alta renda. Aparentemente não havia terrenos disponíveis, nem mesmo para um conjunto habitacional de proporções modestas destinado a compradores mais idosos.

Três meses se passaram desde que a empresa de Ben conseguira o financiamento, e eles ainda não tinham qualquer perspectiva. Não surpreende, assim, que Ben estivesse tão preocupado.

Enquanto ele continuava mergulhado em seus pensamentos, um grito de frustração ecoou no campo quando o time do Crestwood perdeu a posse da bola.

Com a atenção despertada, Ben deu um salto da cadeira. Saindo não se sabe de onde, uma lourinha com a velocidade de um raio, trazendo nas costas o azarento número 13, driblou pelo campo, passou voando por Tessa e duas outras jogadoras da defesa do Crestwood e rompeu em direção ao gol. Com a força de seu chute, a goleira quase tombou. O West Millburn acabava de fazer o gol da vitória.

Um urro percorreu as arquibancadas do West Millburn. Os pais das jogadoras acorreram exultantes ao campo. Ben também desceu para reconfortar Tessa, que estava em prantos.

Na volta para casa, ele não se importou com o fato de que a lama nas chuteiras de Tessa estivesse sujando o tapete do carro. Ele sabia como era duro perder.

No primeiro sinal vermelho, tentou aliviar o clima.

— Você foi muito bem, garota. Nós as derrotaremos no ano que vem.

Silêncio. Tessa limitava-se a olhar pela janela.

Ben tentou usar outra tática.

— Ei, o que está olhando, menina?

— Lixo.

— Bem, isto é legal!

Ben olhou por cima do ombro da filha, e seus olhos quase saltaram das órbitas.

Logo adiante, em pleno centro da cidade, estava um vasto terreno baldio com uma placa de "À venda" fincada bem no meio. Era o lugar perfeito para um prédio de apartamentos para idosos, bem ali no centro de West Millburn! O sinal verde abriu no exato momento em que Ben abria o porta-luvas para encontrar uma caneta.

— Papai! O sinal abriu.

Atrapalhado, Ben finalmente encontrou a caneta e, em meio às buzinas dos carros que vinham atrás, copiou na palma da mão o número de telefone indicado no cartaz.

— Que está fazendo, papai?

— Meu amor, sei que o seu time perdeu, e perder é mesmo uma droga. Mas vai por mim: por trás das nuvens, sempre pode haver um arco-íris. Foi o que eu acabei de constatar.

Aceite o desafio, mesmo se muitos tiverem falhado antes de você.

Naquela semana, Jeff, Ben e Frank começaram a investigar a situação em West Millburn. Jeff descobriu que ali não eram cumpridas as exigências sociais em matéria de habitação de baixa renda, e começou a redigir uma queixa, primeiro passo para mover uma ação. E Frank concluiu que o local era adequado, do ponto de vista do planejamento, para um prédio residencial para idosos.

Ben descobriu que o terreno, de 4 hectares, era de propriedade de diferentes membros da família Spencer, que o haviam herdado vinte anos antes. O corretor mostrou-se surpreendentemente franco. Explicou a Ben que o terreno ainda estava à venda porque a família Spencer não conseguia se entender. Eram 12 pessoas que não conviviam bem, e muitas nem falavam umas com as outras. Para que a venda fosse efetuada, todas tinham de concordar.

— Estou quase desistindo — queixou-se o corretor. — Sem brincadeira. Estou nessa venda há três anos, e já surgiram muitos interessados. Mas é impossível conseguir que a família chegue a um acordo, pois aparentemente todos preferem se recusar a assinar o contrato para torturar uns aos outros.

Ben recorreu a seus contatos na região para tentar descobrir mais sobre os Spencer. As histórias eram muitas, e a cada uma delas ele desanimava um pouco mais. Ele sabia que não podia perder aquele negócio. Era o terreno perfeito. Havia uma demanda por habitações de melhor nível para pessoas idosas de baixa renda na comunidade. Era simplesmente o negócio de que sua empresa estava precisando. E talvez fosse impossível fechá-lo.

Examine atentamente experiências do passado que aparentemente não tem relação alguma com o presente para resolver dilemas atuais.

Encontrei um recado de Ben em minha secretária eletrônica. Sua voz parecia desanimada.

— Para fechar esse negócio, terei de conseguir que essas pessoas que nem entram na mesma sala se entendam e negociem durante horas. Nem mais, nem menos — disse-me ele ao telefone. — Nunca tive de enfrentar uma negociação tão complicada.

— Mas nunca teve alguma outra experiência que pudesse ajudar? E as experiências que teve fora do mundo dos negócios?

— Claro. Estou envolvido em trabalhos de assistência social, muitas vezes lidamos com gente difícil. Mas não acho que esse seja o caso.

— Tem certeza de que está examinando atentamente essa experiência passada? Você não tem apenas um MBA. Também tem experiência clínica em atendimento psicológico, não é verdade?

— Eu poderia encaminhá-los para uma terapia familiar, mas estou fora de forma nessa área. Além do mais, com essa gente, poderia levar anos para chegar a algum resultado terapêutico.

— É verdade. Mas você não se aperfeiçoou em gestão de serviço social para clinicar, não é mesmo?

— Sim, tem razão.

O fato é que Ben chegara a estagiar em atendimento na área de saúde mental, mas nunca se profissionalizara. Foi por outro motivo que se formou em gestão na área de assistência social: ele percebera que as estruturas por trás de todas as relações de grupo são de natureza psicológica. Se fosse capaz de entender essas estruturas e compreender melhor o que move as pessoas, como diretor-executivo de um programa de assistência social familiar no Lower East Side, poderia aplicar esse conhecimento para conseguir que sua equipe trabalhasse de forma coesa e fortalecer os sistemas familiares dos clientes.

— Ben, foi realmente inovador da sua parte buscar esse tipo de formação naquela época. Você se aprofundou numa área do conhecimento e viu as ligações que tinha com outra, o gerenciamento de negócios. São inovações assim que criam as obras-primas. O que você está precisando agora para resolver este problema é de outra solução inovadora. E sabemos que é capaz disto. Precisa apenas se aprofundar mais no que já conhece. Fazer as ligações. Por exemplo, seria capaz de encontrar em sua experiência de liderança de equipes alguma lição que o ajudasse a induzir os Spencer a entrar em acordo?

Ben nem precisou pensar.

— Sim, claro! Uma delas se divorciou recentemente, e sei que vai querer vender logo, pois precisa do dinheiro. E é a única que se relaciona minimamente com o irmão mais velho, que tem boicotado qualquer tentativa de acordo. Se eu começar por esses dois, talvez consiga chegar a um acordo. O grande problema da questão será a irmã mais velha, que mora na esquina desse terreno, mas talvez eu consiga conquistar sua boa vontade...

Ben deteve-se, dando-se conta de que eu já sabia muito mais do que precisava sobre a família Spencer.

— Sim, tem razão, temos algo aqui. Acho que preciso dar uns telefonemas.

Nos meses subseqüentes, Ben valeu-se de seus conhecimentos de psicologia, formação de equipes e negócios para fazer com que os Spencer se aproximassem de um acordo para assinar o contrato. Juntos, ensaiamos algumas táticas para ajudá-lo a se preparar para os encontros, centrando nossa atenção na necessidade de mostrar as vantagens que poderiam ser ganhas por cada membro da família envolvido no acordo. Quando os Spencer finalmente chegaram a seu escritório para fechar os contratos, podiam ser ainda uma família desunida, mas não houve um que deixasse de assinar.

Para Ben, Jeff e Frank, foi o primeiro passo num projeto extraordinariamente bem-sucedido que lhes permitiu devolver aos investidores um lucro apreciável e ainda separar dinheiro para novos projetos. Mais importante ainda foi o fato de Ben ter aprendido a se valer de sua formação múltipla para ir além da superfície e sintetizar suas experiências anteriores, gerando soluções inovadoras.

Recorrendo mais uma vez a sua experiência no trabalho social e à do mundo dos negócios, Ben contribuiu para lançar um projeto habitacional diferente e estimulante para idosos de baixa renda. Fazia parte do conjunto um centro muito bem equipado com instalações para exercícios, artes e artesanato, um jardim, salas de jogos e uma série de outros confortos modernos. Além disso, Ben conseguiu levantar fundos para contratar dois assistentes sociais incumbidos de aproximar os moradores entre eles e do resto da comunidade. Resultou daí um programa inovador de envolvimento dos idosos com as crianças de famílias sem o pai ou sem a mãe na vizinhança. E para tornar o projeto ainda mais aceitável para os vizinhos, Ben e seus sócios contrataram um premiado arquiteto e paisagista para que o centro não fosse apenas funcional, mas também belo e atraente.

Esculpa sua obra-prima particular

Como Michelangelo foi capaz de dominar um campo como a arquitetura, no qual não se tinha formado, conseguindo, aos 71 anos, conceber a esplêndida cúpula da Basílica de São Pedro? Ele vasculhou todo o conhecimento que havia acumulado e tratou de se aprofundar para encontrar ligações inovadoras em sua experiência única e pessoal.

A maestria, afinal, não é apenas uma questão de ser competente no seu próprio campo. É também uma questão de criatividade. A maestria é uma arte! Para tornar-se um autêntico mestre, você não pode simplesmente acumular todo o conhecimento disponível em determinado campo. Precisa também criar novos conhecimentos. Para isto, tem de encontrar as ligações existentes entre realidades aparentemente desvinculadas, como a escultura no mármore e a construção de uma cúpula.

Você pode mobilizar todo o conhecimento que reuniu em todas as atividades desempenhadas, desde a criação do seu filho até a prática de vendas. E quanto mais amplas forem sua formação e sua experiência, mais possível será inovar.

Como? Você pode estimular seu cérebro aprendendo uma nova capacitação ou apurando uma antiga. Se tiver hobbies ou outros interesses, amplie seu conhecimento ou sua habilidade nesse terreno também. Aprenda a tocar um instrumento musical. Tente desenhar ou fotografar. Estude alemão. Ou economia. Ou neurobiologia. Permita-se viver experiências extraordinárias. Faça caminhadas na China. Vá à ópera. Prepare-se para uma maratona. Experimente comidas exóticas. Quebre seus hábitos e padrões.

E à medida que for expandindo suas possibilidades de inovação, examine mais profundamente tudo que já sabe e experimentou. Ao buscar oportunidades ou tentar resolver problemas no seu campo de ação, faça a si mesmo as seguintes perguntas:

- Como encarar esta questão de outra perspectiva?
- Que lições de outras experiências poderiam ser aplicadas aqui?
- Quais as prováveis conseqüências das tendências atuais?
- Como foi que os mestres contemporâneos e antigos da minha área de atuação inovaram e alcançaram o sucesso?

Exercícios de descoberta

1. No alto de uma folha de papel em branco, relacione cinco atividades às quais dedique bastante tempo (por exemplo, cuidar dos filhos, praticar um esporte, tocar um instrumento musical, cultivar um hobby, viajar). Sob cada uma delas, enumere as habilidades e percepções que o ajudaram a desenvolver.
2. Como essas habilidades e percepções poderiam contribuir para sua capacidade de descobrir abordagens inovadoras na busca do pleno domínio em sua carreira ou em outra área? Esforce-se. Seja criativo. Use uma nova folha de papel para cada resposta. Complete gradualmente essas respostas à medida que tiver novas percepções e idéias.
3. Trace um plano para se envolver em atividades que ponham ao seu alcance novas capacitações e percepções. Escolha aquelas capazes de sacudi-lo, conduzir sua mente em outras direções e proporcionar-lhe novos meios de se ligar às pessoas. Essas novas capacitações e percepções lhe darão perspectivas e estímulos para inovar na busca de uma vida e de uma carreira extraordinárias.

Você acaba de dar o primeiro passo na busca da maestria em sua área, pois ela não requer apenas a compreensão dos conhecimentos e experiências atualmente disponíveis, mas também sua expansão em direções inovadoras.

9

Force os seus limites

O bloco de mármore tinha 5,5m de altura, e nele, infelizmente, um certo mestre Simone da Fiesole começara a esculpir um gigante, e trabalhara tão mal que cavara um buraco entre as pernas, e a coisa toda ficou desfigurada, inutilizada. Michelangelo decidiu pedi-lo a Soderini e aos diretores, que lhe entregaram o bloco imprestável. Michelangelo fez então um modelo de cera, conferindo-lhe, para ser instalado no palácio, as formas de um jovem David com um estilingue na mão, tendo em mente que, assim como ele defendera seu povo e o governara com justiça, aqueles que agora governavam a cidade pudessem defendê-la com bravura e também governá-la com justiça.

Vida de Michelangelo
Giorgio Vasari, 1568.

O *David* de Michelangelo... você seria capaz de imaginá-lo bem no centro da praça principal de sua cidade?

Você vem caminhando pela rua. O sol brilha. Que lindo dia! Você pode, por exemplo, comprar o jornal e sentar-se no parque para lê-lo. Vira uma esquina e lá está, bem no centro das atenções, o *David*. Como é imponente, com seus 4m de altura — do tamanho de um pequeno carvalho. Seu olhar divisa o horizonte. Ele está esperando alguma coisa: o gigante Golias. E está pronto para entrar em combate.

Se você se deparasse assim, de repente, com o *David*, talvez pudesse entender a força de atração que a obra-prima de Michelangelo exercia sobre o povo de Florença.

Mas vamos voltar um pouco atrás. Imagine como seria ser Michelangelo esculpindo o *David*. Estamos no ano de 1501, um momento de turbulência na República florentina. Fundada sete anos antes, ela estava constantemente sob ameaça de ser atacada e precisava de um símbolo para a mobilização de seu povo. Então com 26 anos, Michelangelo já era um escultor de grande prestígio, tendo concluído a *Pietà* um ano antes. Podia descansar sobre os louros, trabalhando com temas convencionais e utilizando apenas peças de mármore por ele mesmo cuidadosamente escolhidas nas pedreiras de Carrara. Mas Michelangelo preferiu expandir seus limites, testando todo o alcance de seu talento e afirmando suas convicções patrióticas.

Lá estava, portanto, tendo à frente, como ele mesmo disse, o seu próprio Golias — um bloco danificado de mármore de mais de 5m de altura, que teria de conquistar e submeter.

E ao tentar enxergar o interior daquele bloco danificado, Michelangelo teve uma visão. Dentro da pedra desfigurada, ele viu um David munido de uma arma leve e pronto para acabar com o gigante Golias, a cabeça voltada, em absoluta concentração, o olhar perscrutador e decidido, o corpo retesado, pronto para entrar em combate. O gigante se aproximava, e aquele David estava preparado. Aquele David era uma Florença capaz de enfrentar qualquer oposição.

Ao mesmo tempo em que era um símbolo de Florença, também se poderia dizer que o *David* de Michelangelo simbolizava a luta do povo por se superar, enfrentar Golias e, com o estilingue na mão e uma boa pontaria, derrotar o adversário imbatível.

Poderíamos considerar que a história de David e Golias — e da criação do *David* por Michelangelo — é a história de qualquer um que esteja em busca de sua própria obra-prima. Pois o que é a criação de uma obra-prima senão aceitar os maiores desafios — com os maiores riscos e temores — e superá-los um a um?

Jack

Depois de contribuir para salvar a Floresta Prateada, Jack sabia que não seria a batalha derradeira. Em sua cidade, a preservação ambiental era uma luta permanente.

Em seu emprego no consórcio de conservação de terras, ele aprendia muita coisa sobre as tendências que afetavam sua região. Em todo o estado, novas linhas ferroviárias abreviavam as viagens. Com sua abertura, os usuários dos subúrbios mais populosos se mudavam para o norte, na direção da região de Jack. Nas comunidades ao redor de sua cidade, vastas extensões de bosques de abetos davam lugar a condomínios e centros comerciais. E a cidade dele seria a próxima.

Embora tivessem conseguido salvar a Floresta Prateada, Jack e seu grupo sabiam que, na vigência das atuais leis de zoneamento urbano, não poderiam impedir todo e qualquer grande projeto de urbanização. Em virtude das leis vigentes na comunidade, era muito fácil para os empreiteiros se apoderarem de lotes de terra virgem. Tudo indicava que a única maneira de conter um crescimento desordenado naquele ambiente rural seria tentar mudar as leis.

A maneira de vencer aquela batalha parecia clara. Era preciso eleger para um cargo público alguém com mentalidade preservacionista. O que a cidade de Jack precisava era de um prefeito ambientalista.

A legislação local permitia que o prefeito fosse eleito para apenas um mandato de seis anos. E neste momento começara o sexto ano do mandato do atual prefeito.

Jack enxergou aí uma oportunidade. Depois do sucesso na luta pela preservação da Floresta Prateada, ele dispunha de uma esplêndida plataforma política em sua comunidade. Todos na cidade conheciam Jack. Quase todo mundo gostava dele, embora nem sempre concordassem com as coisas em que acreditava. Acima de tudo, todos sabiam que ele era um homem de resultados.

Sentir que você é capaz de influenciar os outros ajuda a alargar seus limites.

A campanha de Jack para se eleger prefeito foi bem organizada e financiada. Chegaram doações de seu grupo ambientalista e dos muitos habitantes da cidade que haviam ficado impressionados com a resistência que opôs aos vereadores.

Valendo-se de seus pontos fortes em marketing e comunicação, Jack transmitiu à comunidade uma mensagem clara e direta. E seu material de propaganda, embora nada tivesse de particularmente caro, era extremamente profissional.

Mas nem tudo era puro charme. Jack fez uma campanha agressiva. Seus amigos da organização ambiental iam para as ruas. Ele também não se fez de rogado na hora de apertar mãos e beijar criancinhas, batendo pessoalmente à porta dos concidadãos.

À medida que as folhas das árvores iam ficando alaranjadas e marrons, o filho de Jack e seus amigos começaram a percorrer a cidade em suas bicicletas com bandeirolas que proclamavam: "Jack para prefeito." Vendo-os percorrer a rua principal, ele pensou com seus botões: "Vai ser fácil."

Na noite da eleição, Jack e sua mulher foram depositar seus votos na escola local. Ao entrar na cabine, ele levou seu filho, para lhe mostrar como funcionava a máquina de votação. Ergueu-o nos braços e permitiu que ele escolhesse em quem votaria para prefeito.

Naquela noite, Jack e a mulher estavam no sofá da sala assistindo pela televisão os resultados da eleição nacional. Quando ficou clara a derrota de seu candidato a governador, Jack soltou um palavrão.

— E se você perder, Jack?

— Não vamos perder.

— Mas, e se acontecer? Você precisa saber que fez uma bela campanha. Contribuiu para conscientizar as pessoas. Elas realmente acreditam em você.

— Nós não vamos perder.

Às seis horas da manhã, Jack acordou no sofá, com o pescoço duro. O pé estava dormente. "Tenho de ir trabalhar", pensou.

E o telefone tocou. Jack foi cambaleando até ele. Era o gerente da sua campanha, e as notícias não eram boas. Jack perdera a eleição.

Jack não deixou de se consolar com o fato de que, trabalhando num consórcio que comprava terras virgens para preservá-las da urbanização, estava dando sua contribuição para salvar o ambiente. Ele gostava do seu trabalho. Adorava sentir-se parte de um movimento. Adorava saber que seu trabalho fazia alguma diferença neste mundo. Mas nem tudo era perfeito.

Para alargar seus limites, são necessários sacrifícios.

Jack precisou sacrificar muitas coisas para trabalhar nesse campo. Sacrificou seu cargo e quase 80 mil dólares de salário anual. Sacrificou férias e roupas novas. Sob muitos aspectos, havia sacrificado toda a sua carreira anterior. Na verdade, estava começando de novo, pelo primeiro degrau da escada. E não era onde ele queria estar.

Qualquer um que mobilize uma comunidade inteira contra os poderes governamentais pode ser considerado ambicioso. Já em sua carreira anterior, em marketing e comunicação, Jack mostrara ambição. Havia percorrido um caminho de ascensão profissional, da graduação como professor de literatura inglesa ao cargo de diretor de marketing.

Mas Jack não era apenas ambicioso: apresentava resultados. Era capaz, motivado e persistente; tinha o que era necessário para concretizar suas ambições — mesmo quando não estavam exatamente alinhadas com seus valores.

Agora as ambições de Jack estavam *alugando* o seu cérebro. Olhando para a escada do consórcio de conservação de terras, ele via a possibilidade de chegar ao topo. E certamente tinha o preparo necessário para estar lá um dia. Estava aprendendo com rapidez e aumentou muito sua capacitação na estreita colaboração com a diretora-executiva.

Além disso, Jack começou a entender melhor o funcionamento do consórcio e, de maneira geral, do mundo das organizações sem fins lucrativos. Infelizmente, deu-se conta também de que, nas organizações sem fins lucrativos menores, como no consórcio, não havia muito espaço para crescimento.

A diretora dessa organização também era sua fundadora. Excetuando-se sua liderança, não havia verdadeiramente uma estrutura hierárquica. E embora os desafios que encontrara naquele trabalho fossem estimulantes para Jack e lhe permitissem assumir muitas responsabilidades, ele nunca seria capaz, ali, de concretizar suas ambições e alcançar a segurança financeira para a família, inclusive no que dizia respeito aos custos das faculdades dos filhos.

Assim, embora soubesse que queria fazer muita coisa em termos de preservação ambiental, Jack não tinha a menor idéia sobre como poderia consegui-lo. E tampouco tinha tempo. Já não era nenhum jovem, afinal, e não queria esperar mais dez anos para chegar à posição que tanto desejava. Não havia qualquer garantia de que poderia realizar seu sonho, ainda que dispusesse do tempo necessário.

O mundo das organizações sem fins lucrativos dependia de todo um jogo de influências e conhecimentos, não só no interior da própria empresa, mas de maneira geral — nas prefeituras, nos governos estadual e federal, na filantropia, nas corporações e entre empreiteiros. Jack entendeu como a coisa funcionava. Se quisesse tornar-se diretor-executivo de uma organização ambiental, teria de preparar o terreno.

Para combater seus medos mais profundos,
você precisa enfrentar o seu Golias.

Quando Jack e eu conversamos sobre sua situação, ficou claro que havia uma maneira segura de se destacar e ganhar influência: concorrer novamente a um cargo público em sua comunidade, só que desta vez vencendo. Quando chegamos a esta conclusão, Jack começou a se remexer na cadeira.

— Algo nesta idéia o deixa inquieto — arrisquei.

— Lembra quando falei em concorrer a prefeito depois do episódio da Floresta Prateada? Como sabe, eu perdi...

— E daí? Isto já foi há alguns anos. E você não precisa concorrer a prefeito.

— Eu sei. Mas não sei até que ponto estou disposto a entrar nessa de novo. Não é nada fácil. É preciso ter muita energia.

— Naturalmente.

— E na verdade não é realmente a minha vocação. Eu não sou um político.

Jack certamente podia enumerar uma série de motivos para não se candidatar a um cargo público, mas eu não estava convencido. Do meu ponto de vista, ele ainda não apresentara seu verdadeiro motivo para não concorrer. Caberia a mim mostrar-lhe qual era.

— É este o seu Golias, não é mesmo?

— O quê?

— O seu Golias: o desafio que o assusta, a batalha que você não se julga capaz de vencer.

— É verdade. Tenho medo de fazer esse esforço todo e acabar perdendo de novo.

— Então é exatamente isto que você precisa fazer. O momento em que você sente que existe um problema é o momento em que está prestes a dar um salto. Se quiser criar a sua obra-prima, terá de enfrentar o Golias. Se não o fizer, terá fracassado sem nem mesmo tentar. Se tentar, poderá constatar que Golias não era assim tão grande.

Naquele dia, Jack decidiu fazer a tentativa. Estávamos quase na primavera. Faltavam oito meses até novembro e as eleições para dois mandatos vagos na Câmara Municipal. Jack teria de se apressar se quisesse se inscrever nas eleições.

As coisas correram bem durante a campanha. Rapidamente ele conseguiu reunir as assinaturas de que precisava para registrar sua candidatura. Mais uma vez conseguiu o apoio das organizações ambientais com que trabalhara na região, assim como dos amigos. E de novo os seus pontos fortes em marketing e comunicação lhe foram de grande valia, ajudando-o a levar à comunidade uma mensagem firme e coerente.

Para ele, contudo, o mais difícil era bater às portas.

Naturalmente, Jack sabia da importância desse tipo de contato com os eleitores da cidade. Em matéria de relações públicas, era uma necessidade incontornável numa cidade de poucos milhares de habitantes, na qual era literalmente possível apertar a mão de cada eleitor. Bastava simplesmente bater de porta em porta.

Jack não se sentia à vontade porque havia feito o mesmo poucos anos antes. Agora, muitos em sua comunidade viam pela frente um derrotado ao abrir a porta para atendê-lo.

"Está se candidatando de novo?", perguntavam. "Uma vez não bastou?" Esse tipo de comentário o deixava para morrer, com o coração disparando antes mesmo de tocar a campainha.

Mas Jack sabia que tinha de dar esse passo para derrotar o seu Golias e alcançar sua meta. Assim, para combater o medo, toda vez que chegava à casa de alguém que provavelmente mostraria resistência e seu coração começava a disparar, ele respirava fundo e lembrava a si mesmo por que estava ali: para preservar a beleza natural de sua cidade.

Ao se aproximar o mês de novembro, as folhas começaram a cair nas árvores do quintal de Jack, espalhando-se pelo gramado. Em meio aos malabarismos para conciliar trabalho e campanha, ele rapidamente tratou de juntá-las em pilhas. A eleição estava chegando.

Ele telefonava para pessoas que o apoiavam, estimulando-as a ir votar. Tendo chegado até ali, estava decidido a vencer.

Naquela noite, exausto, Jack sentou-se ao lado da mulher para acompanhar pela televisão os resultados eleitorais. Começou a cochilar no sofá, e sua mulher lhe deu uma cotovelada quando foi anunciada a reeleição de uma deputada que apoiavam.

— Será que é um bom sinal? — perguntou ela.

— Não quero ficar ansioso.

O telefone tocou às 6 horas da manhã. Geralmente, quando o telefone toca a essa hora, é porque aconteceu alguma coisa terrível. Ou algo sensacional. Ao ouvir a campainha, Jack saltou da cama e tirou o telefone do gancho. Do outro lado, uma voz fazia perguntas.

— Jack?

— Sim.

— Hal Jefferson, do *Silver County News*. Que tem a declarar com essa vitória na eleição municipal?

Jack gaguejou:

— Bem, você disse que eu venci?

— Sim. O que tem a declarar?

— Um momento.

Jack mal podia conter-se. Pôs o telefone de lado e sacudiu a mulher.

— Ganhamos!

Sua mulher abraçou-o.

Jack voltou ao repórter que o esperava no telefone.

— O que tenho a declarar? Agradeço aos eleitores de Silver County pela confiança que depositaram em mim. E vou me opor a qualquer um que queira acabar com a beleza de nossa cidade para construir shopping centers.

Sucesso gera sucesso.

No exercício de seu mandato na Câmara Municipal, Jack aprendeu a trabalhar com as empreiteiras para encontrar alternativas de locais de construção com um impacto ambiental menos negativo. E acabou fazendo contatos e se relacionando com funcionários governamentais em outras cidades e na administração estadual. Chegou até a jantar com o governador, ao ser considerado por um jornal como um dos mais destacados militantes ambientais do estado.

Tudo isto fez com que seu trabalho fosse notado não só pela população da cidade, mas por muita gente no campo da preservação ambiental. Quando o mandato já estava chegando ao fim, Jack começou a distribuir de novo seu currículo.

E foi surpreendido, quando se candidatou a um cargo de nível médio em determinada organização preservacionista, ao ser convidado a fazer uma entrevista para outra ocupação: diretor-executivo.

Hoje, Jack dirige uma organização dedicada à preservação de áreas costeiras e terras com mananciais de água em seu estado. Seu salário quase dobrou, e embora ainda seja menos do que ganhava na empresa de contabilidade, ele leva uma vida confortável e feliz. Diariamente ele tem a oportunidade de fazer o que gosta: contribuir para a preservação ambiental e para a qualidade de vida dos habitantes do seu estado, dos seus filhos e netos.

Não, seu trabalho não é nada fácil. É uma luta constante. E às vezes, frente aos que se opõem aos seus objetivos, Jack chega a se assustar. Há momentos em que a luta parece perdida; em outros, seus adversários parecem grandes e poderosos demais; às vezes a história parece estar contra ele; em outras, parece não haver mais esperança. Mas sempre que esses pensamentos se apoderam dele, Jack lembra-se de uma coisa: Golias não é tão grande assim.

A verdade sobre a Capela Sistina

Contemplando as dimensões dos afrescos no teto da Capela Sistina, com sua complexa e detalhada iconografia e as cores vibrantes, além da energia que parece emanar de cada pincelada, não podemos deixar de imaginar que Michelangelo criou esta obra-prima em estado de graça. O trabalho provavelmente fluía do seu pincel de maneira mágica. A criação desses afrescos certamente era um ato da graça divina, além de uma experiência gloriosa e incomparável para o artista.

Mas nada disso é verdade.

A verdade é que Michelangelo não queria pintar o teto da Capela Sistina e trabalhou em meio a sérios problemas físicos.

Segundo seu biógrafo contemporâneo, Giorgio Vasari, Michelangelo foi obrigado a trabalhar na Capela Sistina em virtude de manobras insidiosas de inimigos que queriam comprometer sua reputação. Em outras palavras, uma das maiores obras-primas jamais criadas teve origem numa armação.

Certos artistas de destaque em Roma tinham inveja do talento de Michelangelo para criar obras-primas da escultura "nas quais o consideravam perfeito", segundo Vasari, e também da alta estima em que era tido pelo papa Júlio II. Convenceram então o papa a incumbir Michelangelo de pintar o vasto teto da Capela Sistina, esperando que fracassasse e com isto "mergulhasse em desespero". Escreve Vasari: "Eles achavam que, se o obrigassem a pintar, suas obras já não seriam tão dignas de nota, pois ele não tinha experiência com as cores do afresco, e acabaria se revelando inferior a Raphael."

Michelangelo, de sua parte, pediu ao papa que lhe permitisse continuar trabalhando no colossal túmulo do pontífice, para o qual deveria criar mais de quarenta estátuas. Prossegue Vasari: "Michelangelo, que desejava concluir o túmulo, acreditando que a abóbada da capela seria um trabalho por demais exigente e difícil, e considerando também sua falta de experiência com as cores, tentou por todos os meios tirar dos ombros aquele peso, propondo que a encomenda fosse feita a Raphael. Mas quanto mais ele recusava, mais aumentava a vontade do papa, um homem obstinado em suas empreitadas."

Diante de uma missão desagradável,
não ative o piloto automático.

Michelangelo previu as dificuldades que enfrentaria na Capela Sistina. Mas pode-se dizer que, concretamente, a experiência foi ainda pior do que o pesadelo que ele temia. Ele a descreveria num soneto satírico* que escreveu para o amigo Giovanni d'Pistoia.

Já cresceu-me a pança no tormento,
como faz a água aos gatos na Lombardia
ou em outro lugar que aí se via,
que à força o ventre impele até o mento.

A barba ao céu, e o crânio pendo
sobre a corcova e o peito qual harpia,
e o pincel sobre o rosto todavia
aos pingos me faz um rico pavimento.

E as costas se adentram em minha pança
e de contrapeso das ancas faço garupa,
e ando em vão sem ver por onde avanço.

Na frente a minha pele estiro
e para dobrar-se atrás ela se enruga,
e mantém-me assim feito arco sírio.

Porém falaz e estranho
surge o juízo que a mente porta,
que mal se sai por zarabatana torta.

A minha pintura morta
sê, Giovanni, então, de minha honra defensor,
pois em bom lugar não estou, nem sou pintor.

---

* A tradução do poema é de autoria de Carlos da Silva Sobral.

Durante quatro anos, Michelangelo trabalhou no alto de um enorme andaime que ele precisou montar para ter acesso ao teto. Ficava a maior parte do tempo muito distante do solo, com as costas arqueadas de forma dolorosa, forçando a visão, com tintas tóxicas caindo nos olhos. Para ele, a alegria de pintar deu lugar às dores na coluna.

Michelangelo não era masoquista. Preferia trabalhar nas condições que mantinha perfeitamente sob controle em seu amado ateliê de escultura. Mas tinha senso de responsabilidade. Sabia que, quando se tem algo a fazer, é melhor se esforçar e fazê-lo direito. Assim, ao ser convocado pelo papa, o representante de Deus na Terra, a assumir a responsabilidade de pintar o teto da Capela Sistina, para maior glória de Deus, Michelangelo tomou a decisão de não só cumprir o combinado como criar uma obra-prima.

A verdade sobre a sua obra-prima

Há quem fale de um estado de fluidez. Outros, de sintonia perfeita. Há também quem não tenha um nome a dar, embora saiba perfeitamente quando acontece. Mas qualquer que seja o nome que você dê, estamos falando do sentimento que se apodera de nós quando criamos algo extraordinário. Não é uma sensação boa? E não seria bom sentir-se sempre assim quando você está trabalhando em sua obra-prima?

Às vezes, no entanto, empenhado nessa busca, você pode achar que até a própria natureza está contra você. Por mais firme que seja sua convicção, por maior que seja seu talento, nada funciona como você gostaria. Em menos de seis meses, o seu maravilhoso emprego se transforma num punhado de ações sem valor e num magro cheque de indenização. Você está correndo atrasado para um encontro absolutamente decisivo e pega um atalho, mas se perde, chegando mais atrasado ainda. Ou então, treinou durante meses para correr uma maratona, mas torce o tornozelo ao ser dada a largada.

Às vezes, a própria vida se encarrega de estabelecer qual será sua tarefa. E, tal como acontecera com Michelangelo no episódio do teto da Capela Sistina, seu senso de responsabilidade determina que você volte seus esforços em outra direção. Você pode, por exemplo, deixar a carreira em banho-maria enquanto cria os filhos; ou então se apresentar como voluntário para defender seu país; pode, ainda, convidar seu pai ou sua mãe, já em idade avançada, para viver com você.

Heather

Heather ria muito. Foi a primeira coisa que notei ao conhecê-la em meu escritório, dois anos atrás. Costumava reagir às coisas que a divertiam com uma gostosa gargalhada, e seus comentários mais sérios freqüentemente eram acompanhados de um risinho nervoso.

Naquele primeiro encontro, o assunto era mesmo mais sério, pois Heather estava decidindo se levava sua mãe para morar em sua casa ou a internava numa instituição para idosos.

Agnes tinha 93 anos. Há dez anos morava num prédio para idosos que oferecia serviços de apoio, excursões e acompanhamento pessoal. Isto lhe permitia continuar levando uma vida independente, embora sua saúde viesse declinando lenta mas constantemente.

De um ano para cá, ela estava ficando muito frágil para cozinhar e participar dos eventos programados. Problemas cardíacos, diabetes e os estágios iniciais da senilidade já começavam a afetar sua capacidade de continuar morando sozinha. Agnes gostava de tomar o café-da-manhã, mas quase sempre recusava as outras refeições. Heather levava-lhe pratos especiais, mas depois os encontrava intactos na geladeira.

Não foi, no entanto, esse declínio gradual que gerou a necessidade de contemplar uma possível internação, mas uma súbita e inesperada crise de saúde. Agnes estava lendo em sua poltrona favorita quando sentiu uma dor no peito e começou a encontrar dificuldade para respirar. Arrastou-se então até o telefone, lutando para se manter consciente. A ajuda chegou a tempo, e ela foi levada para o hospital, onde se constatou que sofrera um ataque cardíaco sem maior gravidade.

Ela estava prestes a ser transferida para uma unidade de reabilitação, onde passaria duas semanas. Mas, e depois? Era evidente que ficara para trás o tempo em que ela podia viver sozinha.

Seja o melhor de si mesmo.

Qualquer que fosse a decisão tomada, Heather sabia que sua vida mudaria radicalmente. Ela e a mãe sempre tinham sido próximas, mas relativamente independentes. Agora Heather teria de se envolver muito mais. E achava mesmo que o devia à mãe, pelos cuidados e o amor que recebera na infância.

Agnes ficara órfã aos 12 anos. Sua mãe morrera das complicações de uma apendicite quando a menina tinha 10 anos, e o pai morrera dois anos depois de câncer. Agnes foi viver então com a tia Mae, que cuidava de uma irmã mais velha doente. Agnes viveu com a tia até se casar com Jim, o namoradinho do colegial.

Agnes e Jim compraram uma casinha em Maspeth, Queens, e a tia Mae, que fora uma mãe para ela, foi morar com eles. O casal veio a ter duas filhas em rápida seqüência, Heather e Jane, que passaram a ser o centro da vida de Agnes. Ela perdera os pais ainda na infância e queria que as filhas crescessem numa "família de verdade".

Agnes acreditava numa vida de trabalho duro e de sacrifício, e transmitiu esses valores às filhas. Cuidou delas com desvelo em todas as doenças da infância, além de alguns ossos quebrados, a rubéola e até uma ameaça de poliomielite.

— Nós éramos a família que recebia todos os animais abandonados, pois os vizinhos sabiam que cuidaríamos deles — contou-me Heather numa de nossas conversas. — Sempre nos dispúnhamos a cuidar dos filhos dos outros quando alguém enfrentava dificuldades. As pessoas simplesmente deixavam as crianças em nossa casa quando precisavam. Era o que a gente fazia. Cuidávamos dos filhos dos outros nos momentos difíceis e tentávamos ajudar. Um amigo de minha irmã, cujos pais eram alcoólatras, praticamente vivia conosco.

E continuou:

— Quem ouvia mamãe falar, achava que ela era durona. Nada disso. Ela fazia questão de tornar os momentos importantes realmente especiais para nós, sobretudo os aniversários. Ela servia muitos pratos variados e preparava com toda pompa e esmero o momento do bolo e de apagar as velas. A gente então brincava de adivinhação e outros jogos. Todo mundo participava. No fim, a gente brincava com quem estivesse aniversariando, o que também se aplicava à mamãe no seu aniversário. — Heather abriu um largo sorriso e começou a cantar uma canção infantil. — Mamãe ria muito, como todo mundo. Qualquer acidente ou gafe que acontecesse, como por exemplo cair da cadeira, alguém compunha uma canção. A gente se divertia muito, e quase sempre mamãe é que estava no centro.

Heather casou-se com Bob, que conheceu na faculdade de psicologia. Bob estava no corpo de treinamento dos oficiais da reserva das forças armadas americanas, e no último ano de serviço militar foi mandado para o Vietnã. Ao retornar, mudou-se com Heather para um anexo da casa dos pais dela.

Quando Bob conseguiu emprego na IBM como analista de sistemas, o casal pôde começar a contribuir para o pagamento do aluguel e economizar para comprar uma casa própria. Um ano depois, encontraram uma casinha que adoraram, embora não estivessem certos de poder pagar por ela. Mas os pais de Heather deram-lhes um belo presente surpresa, devolvendo todos os aluguéis que haviam pagado.

— Nós nem acreditamos — contou Heather. — Eles vinham deixando de lado o dinheiro que a gente pagava, e nos devolveram. Sacrifício e família: são valores que aprendi na minha criação.

Nessa época, Heather começara a trabalhar como orientadora educacional no ensino médio, dedicando-se com paixão ao trabalho. "Eu queria ajudar a garotada com problemas e os pais", explicava. "Gosto muito disso. E Deus sabe que muita coisa do que os alunos e os pais relatam eu mesma já enfrentei, pessoalmente ou com meus filhos. O mais difícil era a carga de trabalho cada vez maior, pois o número de alunos aumentava e o de orientadores diminuía. Acho que eu não teria agüentado se não fosse tão organizada. Pude até melhorar muito em matéria de organização do meu tempo. Não tinha outro jeito."

Heather e eu analisamos as possibilidades na questão da moradia para sua mãe.

— E sua irmã? — perguntei. — Ela não pode ajudar de alguma forma?

— Não, ela vive na Costa Oeste e já tem uma família bem grande para cuidar.

— Mais alguém?

— Não, realmente acho que não — respondeu ela. — Somos uma família pequena e não temos muito para onde nos virar.

Tratamos então de nos concentrar nas alternativas de Heather para resolver o problema da mãe e na maneira como sua eventual decisão estaria de acordo com seus valores, suas paixões e seus pontos fortes.

Depois de algumas sessões, chegamos à conclusão de que seu valor primordial era a família, de que sua paixão era ajudar os outros e de que seu grande talento era a organização. Na convergência desses três fatores havia muita força e energia. Mas será que eles seriam suficientes para que Heather assumisse a enorme responsabilidade de cuidar da mãe em idade avançada, ao mesmo tempo trabalhando fora e tendo de atender às necessidades do casamento e dos filhos?

Heather parecia hesitar. No trabalho, tinha uma colega que, diante do mesmo dilema, resolvera internar a mãe num abrigo para idosos. Heather decidiu conversar com ela a respeito. "Minha colega disse que sua mãe sofrera terrivelmente no abrigo – uma experiência absolutamente humilhante. Disse que até morrer ia se arrepender daquela decisão. Foi o que me inspirou e me deu força para manter minha mãe em minha casa."

Não subestime a tarefa que tem pela frente.

Atendi Heather uma vez por semana durante 18 meses, até o falecimento de sua mãe, em seus braços, aos 95 anos. Como no caso de Michelangelo com o teto da Capela Sistina, as dificuldades que Heather imaginava encontrar pareciam insignificantes ante a imensidão do que realmente a esperava. Sua experiência foi tão extraordinária que lhe perguntei se poderia compartilhá-la com futuros clientes que enfrentassem o mesmo dilema. Transcrevo a seguir o relato da própria Heather sobre essa experiência.

"Eu trabalho na escola o dia inteiro. Bob trabalhava em casa como consultor em tecnologia da informação. De modo que, durante o dia, estava na linha de frente com mamãe. Quando eu chegava em casa, ele já não agüentava mais, e estava louco para passar a responsabilidade para mim. Depois de certo tempo, eu já estava exausta.

"Comecei a esperar ansiosa por qualquer oportunidade de sair daquela rotina para respirar um pouco. De volta para casa, parava no supermercado. Normalmente, não gostava de fazer compras. Mas comecei a achar maravilhoso. Ficava pensando: 'É o tempo que tenho para mim mesma.' Parece difícil de acreditar, mas meu lazer era comprar alimentos.

"Ao chegar em casa, eu fazia tudo que fosse preciso. Cuidava disso e daquilo, do jantar, da limpeza, de levar mamãe ao banheiro, até que ia me deitar.

"Até que ela caiu e quebrou o ombro. Ficou presa a uma cadeira de rodas, o que tornou as coisas ainda mais difíceis. Os momentos de descanso eram muito raros. A grande vantagem era que, ao me deitar, eu estava tão cansada que dormia imediatamente.

"Nos fins de semana, era pior ainda. Bob muitas vezes viajava a trabalho, de modo que toda a responsabilidade ficava comigo.

"As visitas a médicos não tinham mais fim. Eu mantinha um 'diário da mamãe', onde registrava suas consultas e atendimentos de emergência, as receitas e as conversas que eu tinha com os médicos. Acredito piamente na necessidade de manter as coisas registradas por escrito. Muitas vezes, um médico não sabia o que o outro havia feito. E também acontecia de eles discordarem sobre o que fazer. De modo que eu precisava ficar em dia com as prescrições de cada um e manter todos eles informados.

"Lá em casa, era um verdadeiro desfile: enfermeiras, fisioterapeutas, paramédicos do atendimento domiciliar. E nem sempre eram as mesmas pessoas, e também nesse caso eu precisava cuidar da coordenação.

"Ela tomava diariamente pelo menos oito pílulas diferentes: para afinar o sangue, para a pressão arterial, a diabetes, o coração, vitaminas e analgésicos. Bob e eu tínhamos de organizar toda a medicação para administrá-la. Algumas eram tomadas duas vezes por dia, outras, três vezes, outras ainda, dia sim, dia não. Eu telefonava para a farmácia quando as pílulas estavam para acabar. Bob supervisionava a administração dos remédios durante o dia, e eu passava a cuidar do assunto ao chegar em casa. Resolvi anotar tudo num pequeno cartão, que podia simplesmente entregar aos atendentes quando ela ia para o hospital.

"Quando chegávamos ao hospital ou ao consultório médico, sempre aferiam a pressão dela. E era sempre ideal: 12 por 8. Um dia, pedi que tirassem também a minha, que sempre fora perfeitamente normal, antes de eu começar a cuidar dela. E adivinha só! Minha pressão estava lá nas alturas: 16 por 9,5!"

Encontre tempo para cuidar de suas necessidades mais importantes.

"Eu precisava começar a cuidar mais de mim mesma e passei a tomar pílulas também, para manter a pressão mais baixa. O médico me advertiu que teria de dar um jeito de relaxar um pouco, caso contrário ficaria doente e não poderia ajudar ninguém. Comecei então a cantar uma vez por semana no coro da igreja e tinha aulas de ioga nas noites de segunda-feira. Eram as duas coisas que me mantinham com a cabeça no lugar. Em ambos os casos eram duas horas de relaxamento que serviam para me reequilibrar por toda a semana. Eram horas só minhas. Eu relaxava, respirava um pouco e conseguia manter minha sanidade.

"Muita coisa deixava de ser feita. Limpar a casa, por exemplo — não que eu seja uma dona de casa muito meticulosa. Tudo que não fosse essencial ficava de lado. Eu não cozinhava muito. Freqüentemente encomendávamos comida pronta. Eu tentava encontrar coisas que ela pudesse comer. Alimentos macios, até papinhas de bebê."

Prepare-se para os momentos difíceis.

"Era muito duro vê-la decair daquele jeito. Eu ficava tentando lembrar da época em que ela cuidava de nós, e como nos divertíamos. E me perguntava: 'Por quanto tempo ainda vou agüentar isto?'

"O trabalho, na verdade, era uma bênção. Ajudava a me manter com a cabeça no lugar, pois lá não tinha como me entregar ao desânimo. Tinha outras coisas para ocupar a mente. Precisava me concentrar no que devia fazer naquele dia, se havia algum garoto precisando de mim ou alguma reunião programada com os pais. Meu chefe e meus colegas sabiam de tudo e colaboravam perfeitamente. Se eu precisasse sair mais cedo por causa de alguma emergência com mamãe, não havia problema. Os pais também entendiam. Todo mundo se mostrava compreensivo.

"Mais para o fim, quando as coisas estavam piorando, ela se mostrava bem difícil. Precisei recorrer muito ao Bob, que foi de grande ajuda. Mas ela era dura com ele, exigente e crítica, e não lhe dava folga. Os dois às vezes quase chegavam às vias de fato.

"E nós duas também tínhamos lá nossas brigas, especialmente na hora de dormir. Era exatamente a situação inversa em relação à minha infância. Exausta, eu tentava começar a prepará-la para se deitar às 10 horas, e ela ficava insistindo em mais meia hora.

"Queria que eu ficasse sentada com ela, quando eu tinha tantas outras coisas para fazer. Também brigávamos por causa disso. Ela queria que eu ficasse a seu lado assistindo a reprises de Lawrence Welk na televisão, um de seus programas favoritos dos velhos tempos. E geralmente eu me recusava, pois era um momento em que ela estava ocupada e eu podia fazer outras coisas.

"Mas o que realmente me tirava do sério era quando ela se confundia e me chamava pelo nome de minha irmã, ou dizia que eu era 'a outra Heather'. Geralmente eu respondia: 'Sei que parece que existem duas Heather, porque tenho muitas coisas a fazer. Mas existe apenas uma. É a mesma Heather que vai trabalhar e cuida de você.'

"Olhando para trás, nem sei, hoje, como foi que consegui. O fim chegou muito de repente. Depois que ela sofreu nova queda no Natal, eu notei uma rápida deterioração. Ela mal conseguia se alimentar, e tinha dificuldade para engolir. Seu corpo estava cedendo.

"Ela me disse: 'Não quero morrer, mas também não quero viver assim. Estou esperando que Deus me leve. Não sei o que ele está esperando.' Eu via como ela estava se desligando da vida."

Aqui, Heather interrompeu-se. Tinha lágrimas nos olhos. Desliguei o gravador e ficamos juntos ali, quietos. Perguntei se havia alguma coisa que ela teria feito de outra forma ou algum conselho que daria a outras pessoas.

— Realmente me arrependo de algumas coisas — respondeu ela, pensativa. — Poderia ter sido mais meiga, ter passado mais tempo com ela. Poderia ter-lhe perguntado mais sobre sua vida. Era esse o tipo de atenção que ela apreciava.

"Minha experiência com mamãe me lembra da história de Jesus em Getsêmani. Ela costumava dizer: 'Fique aqui comigo.' E era o que Jesus dizia aos discípulos: 'Fiquem comigo. Não são capazes de ficar acordados por mais uma hora? Estou passando por todo esse sofrimento. Sei que vou morrer, e vocês não são capazes sequer de ficar acordados comigo.' Era mais ou menos assim. Ela sabia que estava indo embora, e todos estavam entregues a seus afazeres. 'Que pode ser mais importante do que ficar simplesmente aqui ao meu lado, segurar minha mão, para que eu sinta que vocês estão aqui comigo?'

"É a única coisa que eu teria a dizer. Qualquer que seja a situação, tente separar um tempo. Mostre à pessoa que ela é importante para você."

— Você acha que sua mãe se sentiu bem cuidada? — perguntei.

— Acho que mamãe realmente se sentiu amada. No último dia, quando eu entrei, ela abriu um belo sorriso para mim, e eu disse: "Eu te amo." E então a beijei. Ela estava tentando dizer algumas palavras.

Lágrimas voltaram aos olhos de Heather.

— Só queria ter sido um pouco mais paciente — disse ela, baixinho.

Vale a pena forçar os seus limites.

— Mas o fato é que você esteve presente quando ela realmente precisou — lembrei-lhe. — Ela viveu seus últimos anos com dignidade, cercada de pessoas que amava. E foi você que criou essa possibilidade para ela. Foi algo muito valioso.

Heather se animou, pensando no que fora capaz de fazer.

— Sabe, mais de setenta pessoas compareceram à homenagem póstuma que prestamos a ela — contou. — Minha irmã, minha filha e eu falamos sobre nossas lembranças. Bob usou sua experiência com fotografia digital para montar uma apresentação sobre sua vida, com direito a músicas da época. Meu filho cantou a canção favorita dela, tocando violão. Ao encerrarmos, mais de dez pessoas vieram espontaneamente contar histórias sobre ela. Muitas eram bastante divertidas. Era estranho rir numa homenagem póstuma, mas ao mesmo tempo maravilhoso. Finalmente, uma de suas amigas mais queridas, também na casa dos 90, veio me dizer: "Quando eu me for, quero ir assim." Naquele momento eu soube que tinha valido a pena. Mamãe era uma mulher e tanto, e merecia o melhor de mim.

Esculpa sua obra-prima particular

A maestria não é um estado de espírito. Não é uma palavra mágica. E certamente não é uma qualidade intangível ao alcance apenas de alguns poucos gênios que viveram na Itália do século XVI.

A maestria é uma arte. É um modo de vida que exige criatividade, estratégia e fé. É uma questão de forçar os seus limites. O hábito de enfrentar os maiores desafios e arriscar fracassos ainda maiores.

Pois será que não chegou a hora de você levar sua vida como um mestre?

Não? O motivo mais provável para o fato de tão poucas pessoas responderem afirmativamente a essa pergunta é talvez o medo. Todos temos medo do fracasso — e quanto mais público ele for, mais assustador será.

O que distingue os Michelangelo deste mundo comum é essa disposição de correr o risco de fracassar forçando os próprios limites. Se Michelangelo tivesse se limitado a trabalhar no padrão que lhe era mais confortável, será que teríamos hoje o teto da Capela Sistina, a *Pietà*, o *David* e a cúpula da Basílica de São Pedro?

Para concretizar qualquer ideal, você precisa, em algum momento, lançar mão daquela lâmina de mármore imprestável e extrair dela um *David*. Precisa expor-se, ser derrubado e voltar a se erguer. Precisa forçar seus limites. Assumir riscos.

Mas também precisa fazê-lo com sabedoria. E existe uma grande diferença entre assumir riscos e agir com imprudência. A diferença está no equilíbrio entre o risco e a recompensa. Quanto mais arriscada a decisão — quanto maior for o seu Golias —, mais cuidado você deve ter com esse equilíbrio e mais deve mostrar-se atento ao planejamento prévio para reduzir esse risco.

Faça a si mesmo as seguintes perguntas:

- Trata-se de um risco real? Ou será que apenas o sinto por medo?
- Preciso assumir esse risco para concretizar meu ideal?
- Qual a pior coisa que pode acontecer se eu assumir esse risco? Qual a probabilidade de que isso aconteça? Serei capaz de enfrentar tal eventualidade?

- Qual a melhor coisa que poderia acontecer?
- E qual será o risco se eu não fizer nada?

Exercícios de descoberta

1. Tome uma folha de papel em branco e relacione os riscos que você teria de assumir para ter uma vida extraordinária. Para cada um desses riscos, encontre as respostas às perguntas anteriores.
2. Considerando o equilíbrio risco-recompensa, formule e registre no papel uma estratégia para enfrentar o referido risco. Por exemplo, se o risco for perda de rendimentos por um período prolongado, haveria a possibilidade de empréstimos da parte de bancos ou parentes? Você poderia diminuir suas despesas para fazer frente à queda dos rendimentos? Teria condições de fazer uma reserva agora para enfrentar essa possibilidade?
3. Para qual desses riscos você precisará de um apoio adicional (financiamento, um conhecimento ou capacitação especial, mão-de-obra e assim por diante)? Que dificuldades enfrentará para obter essa possível ajuda? Até que ponto poderia providenciar previamente esse tipo de apoio, se realmente precisar?

Ao anotar os riscos e avaliar o impacto e as possíveis recompensas de cada um deles, você entenderá melhor os obstáculos que poderiam retardar seu avanço e, ao mesmo tempo, encontrará soluções para eles. Talvez ainda tenha motivos de preocupação, mas terá neutralizado temores infundados que poderiam atrapalhá-lo.

10

Viva com integridade

Quando um amigo perguntou-lhe o que achava de alguém que havia imitado em mármore algumas das mais famosas imagens antigas, vangloriando-se de ter em muito superado os originais, Michelangelo respondeu: "Aquele que vai atrás dos outros nunca poderá passar à sua frente, e aquele que não é capaz de trabalhar bem por si só não pode fazer bom uso do trabalho dos outros."

Vida de Michelangelo
Giorgio Vasari, 1568.

A palavra *integridade* vem da raiz *integer*, que significa "inteiro". É uma questão de estar integrado de tal maneira que todas as partes se inter-relacionem e se unifiquem. Em termos morais, a integridade requer total adesão aos seus princípios, por mais incômodo que isto seja.

Michelangelo tinha integridade. Estava comprometido com seus princípios e com a necessidade de fazer com que sua vida fosse um todo unificado. Isto não quer dizer que ela fosse fácil ou sempre feliz. Significa que Michelangelo criou uma vida adequada para si.

Viver com integridade significa criar uma vida adequada para você.

Para viver com integridade, Michelangelo precisava integrar sua paixão pela arte, seus princípios religiosos, seu patriotismo e sua preocupação com a família. Já vimos como ele foi capaz de canalizar sua arte, a religião e o patriotismo através de seu trabalho. Voltemo-nos agora para suas responsabilidades familiares.

Para muitos contemporâneos, Michelangelo não era uma pessoa de fácil convívio. Tendia a ser recluso, desconfiado e combativo. Mas era extremamente leal com os amigos. Centenas de cartas que escreveu ao pai, aos irmãos, sobrinhos e sobrinhas chegaram até nós, de modo que temos uma excelente idéia de seu relacionamento com eles. As cartas deixam claro que Michelangelo se preocupava muito com a família e se considerava responsável por seu bem-estar.

A família Buonarrotti era ambiciosa. Sua família identificou seus ancestrais até no início do século XII, e se dizia descendente dos condes de Canossa. Podemos ver seu orgulho na insatisfação do pai quando Michelangelo decidiu tornar-se um simples artista, em vez de entrar para a indústria da lã ou da seda.

A família Buonarrotti ganhava a vida sobretudo no comércio de lãs e no câmbio de moedas, mas passava por momentos difíceis à medida que o Renascimento se aproximava. Lodovico, o pai de Michelangelo, era um *podestà*, o equivalente, em nossa época, a um juiz. Viajava por cidadezinhas nas proximidades de Florença e também fazia a coleta de aluguéis em algumas pequenas propriedades florentinas, assim como de uma fazenda que herdara juntamente com seu irmão mais velho na localidade próxima de Settignano.

Michelangelo foi o único filho da família Buonarrotti a se sair bem financeiramente. Seu pai e seus quatro irmãos viviam permanentemente em dificuldades financeiras. Suas sobrinhas não tinham dotes e os sobrinhos precisavam de ajuda financeira. Michelangelo tomou para si a responsabilidade de ajudar a todos eles.

Mas a família estava constantemente testando sua paciência (o que não era propriamente o forte de Michelangelo, para começo de conversa), e invariavelmente decepcionava suas expectativas.

O irmão menor de Michelangelo, Giovanisimone, sempre inventava grandes jogadas para ficar rico. Michelangelo o estabelecera numa loja de artigos de lã, mas Giovanisimone pretendia arriscar tudo numa aventura de navegação comercial para a Índia. Ao descobri-lo, escreveu:

> Giovanisimone: Há 12 anos venho vagando pela Itália, enfrentando todo tipo de problema, sofrendo as mais diversas desgraças, lacerando meu corpo num trabalho cruel, pondo minha vida em risco mil vezes, unicamente para ajudar minha família; e agora que novamente começo a reerguer nossa casa, você é o único que pretende destruí-la e arruinar aquilo que alcancei depois de tantos anos e com tanto esforço.

Além de apoio financeiro, Michelangelo tentava proporcionar apoio moral à sua família. Num momento em que trabalhava no teto da Capela Sistina em Roma, esperando um pagamento atrasado do papa, ele escreveu ao pai:

> Caríssimo pai: Entreguei a Giovanni Balducci 350 florins de ouro, para que possa pagá-lo. (...) Lamento muitíssimo não poder ajudá-lo de outra forma. Não se assuste por isto, nem se preocupe minimamente, pois quem perde propriedades não perde a vida. Vou proporcionar-lhe mais do que acaso possa perder, mas quero lembrar-lhe que não deve considerar nada disto precioso, pois não passa de uma ilusão. Faça, portanto, o seu trabalho, e agradeça a Deus, pois se este problema tinha de advir, o fato é que veio num momento em que vocês podem se socorrer melhor que no passado. Cuide de viver e deixe que os bens se vão mais facilmente que as privações, pois os prefiro vivos e pobres. Se estivessem mortos, não daria importância nem a todo o ouro do mundo.

Michelangelo assumia a responsabilidade não só pelo pai e pelos irmãos como ainda pelos sobrinhos. Comprou para eles residências em Florença e fazendas em Chianti. Levantou fundos para que abrissem negócios próprios. E desempenhava o papel do tio sábio, aconselhando-os em todas as áreas, dos investimentos ao casamento.

Se Michelangelo não tivesse se dado o trabalho de enfrentar os problemas da família, ainda assim teria sido um grande artista, honrando Deus com suas maravilhosas obras-primas. Mas não teria honrado a si mesmo. Pois o fato é que, para viver com integridade, é necessário reunir todas as nossas características mais importantes.

Não tente ser igual.

Todo mundo é diferente. A vida que convinha a Michelangelo provavelmente não conviria a você. Certas pessoas precisam equilibrar trabalho e lazer para construir uma vida que lhes convenha. Outras sentem a necessidade de ajudar os pobres. Outras ainda querem compartilhar o conhecimento acumulado. Utilize o Método Michelangelo para ir o mais fundo possível na sua própria individualidade. Descubra, nessa viagem, seus valores, suas paixões e seus pontos fortes. Estabeleça metas positivas e comprometa-se a persegui-las. Viva com integridade.

Susan

Quando fui novamente procurado por Susan, a assistente jurídica que virou professora, não a via há três anos. Ela disse que precisava me encontrar. Eu estava entre um atendimento e outro, mas marcamos uma consulta para a semana seguinte.

— Como vai o trabalho? — perguntei, depois que ela se sentou numa ampla poltrona em frente à minha.

— Vai bem. Estou ensinando biologia na South Side High School. E tenho recebido avaliações excelentes. Adoro as crianças, embora algumas às vezes possam se mostrar bem difíceis. Mas sou honesta com elas, e elas valorizam isso. E realmente faço diferença na vida delas, ajudando-as a se conscientizar, a apreciar a beleza da natureza e a ter mais respeito pelo meio ambiente.

— Muito bom! Parece que você realmente encontrou o seu lugar. O que a traz aqui, então? — perguntei.

Saiba quem você é, mas esteja aberto para a mudança.

— Estou muito feliz com meu trabalho. Mas gostaria de melhorar meus relacionamentos — não só melhorá-los, mas transformá-los. Para começo de conversa, gostaria de mudar a situação em relação a minhas irmãs. Desde a morte de nosso pai, ano passado, estamos constantemente brigando. Quero me aproximar mais delas.

— Vocês tinham um bom relacionamento com seu pai? — perguntei.

— Éramos muito próximas dele. Minha mãe foi internada quando eu ainda era criança, de modo que foi papai que nos criou. E ele estava sempre lutando para dar conta de tudo: era realmente muito difícil para ele. Ele nos amava à sua maneira, mas achava que ser forte era não expressar sentimentos. Assim, nunca sabíamos muito bem onde estávamos pisando com ele. Talvez por isto me expressar tenha se tornado tão importante para mim.

— Que idade ele tinha ao morrer? — perguntei.

— Setenta e quatro. Quando soube que ele estava com câncer no pâncreas, fiquei arrasada. Minhas irmãs estavam vivendo fora da cidade, de modo que coube a mim cuidar dele — e eu o queria mesmo. Ele estava o tempo todo entrando e saindo do hospital. No fim, queria morrer em casa, na própria cama, e resolvi tirá-lo do hospital, contra a vontade dos médicos.

— Deve ter sido difícil para você — disse eu.

— Muito. Quando pegamos o táxi para ir para casa, papai estava tão fraco que achei que ele ia morrer ali mesmo, nos meus braços. Ficamos calados a viagem inteira, o que, no meu caso, era completamente fora do comum. Mas eu estava tão abalada que não sabia o que dizer. Quando já estávamos chegando, ele me olhou e disse: "Minha filha, sei que, qualquer que seja a sua decisão, você conseguirá chegar lá."

Nesse momento, os olhos de Susan se encheram de lágrimas.

— Finalmente eu o ouvia dizer aquilo: que sabia que eu era capaz e poderia cuidar de mim mesma. Foi um momento muito emocionante para mim. Penso nisso o tempo todo.

Ela se aquietou um pouco, e depois disse:

— Ele morreu dois dias depois. E minhas irmãs começaram com as cobranças.

— Como assim? — perguntei.

— Bom, ficavam se queixando porque papai tinha quitado o débito do meu cartão de crédito, que crescera muito por eu ter largado o emprego para cuidar dele. Eu não pedi, mas ele insistiu. Fiquei realmente ofendida com a reação delas.

— E mostrou a elas como estava se sentindo com essas cobranças?

— Não, ainda não.

— Por quê?

— Acho que tenho medo da raiva delas.

— O que poderia acontecer se você nunca falasse com elas a respeito? Elas ficariam com mais raiva de você, menos ou a mesma coisa?

— Acho que ficariam mais ressentidas.

— E como você se sentiria se nunca tocasse no assunto com elas?

— Provavelmente pior ainda, pois todo dia, me olhando no espelho, veria uma pessoa sem autenticidade. Definitivamente, preciso ter essa conversa com elas — disse Susan, com voz firme. — Vou telefonar ainda esta semana.

Seja autêntico.

Susan e eu passamos o resto da sessão ensaiando a conversa que ela pretendia ter com as irmãs. Aos poucos, ela foi se sentindo cada vez mais à vontade e mal podia esperar pelo momento de ter realmente aquela conversa. Ao encerrar nosso encontro, fez questão de honrar seu compromisso com a própria integridade, tendo consciência do próprio comportamento e do comportamento das irmãs e sua disposição de mudar.

Susan voltou a me procurar duas semanas depois. Vinha aplicando o plano de aproximação com as irmãs, e as coisas estavam melhorando bastante. Mas havia ainda outro relacionamento o qual ela desejava mudar.

— É o meu namorado — explicou. — Mas acho que o problema é meu. Tomo muito cuidado desde o que aconteceu no meu casamento.

— Primeiro me fale do seu ex-marido. Nunca conversamos a respeito dele. Parecia que ele tinha saído completamente da sua vida.

— O meu ex? Você quer ouvir a versão completa ou a abreviada?

— Vamos ver qual é a abreviada, por enquanto.

— Conheci o Richard quando tinha 23 anos, e ele, 35. Fiquei realmente apaixonada. Ele era um rebelde, e eu gostava disso. Ainda estava me recuperando de outro relacionamento, e ele era o máximo.

— Em que ele trabalhava?

— Era leiloeiro. Mas estava sempre envolvido em outros negócios também. Viajava muito para encontrar antigüidades. Também tinha uma loja de objetos usados, onde vendia essas peças antigas. Às vezes, viajávamos juntos para fazer as compras dele. Visitávamos, por exemplo, um depósito em Nova York onde havia caixas de dois dólares ou quatro dólares com todo tipo de coisa dentro. Comprávamos dez ou vinte caixas e as colocávamos à venda na loja dele. Era muito divertido. Também visitávamos mercados de pulgas. E eu adorava vê-lo em ação nos leilões. Era um homem de grande carisma, cheio de charme. Mas começou a enfrentar problemas, e as coisas mudaram.

— O que ele fez?

— Bem, o Richard tinha uns amigos meio esquisitos. Acabou se envolvendo mais do que devia. Eles roubaram um caminhão e Richard concordou em vender o conteúdo. Infelizmente, o FBI tinha sido avisado e estava em poder de um filme que mostrava Richard recebendo a mercadoria em sua loja. Ele foi então aconselhado a confessar, na expectativa de receber uma pena mais branda, pois tinha uma mulher grávida que precisava dele. Não falou nada sobre os cúmplices, e eles deram um jeito de tirá-lo da cadeia três meses depois. Depois disso, contudo, Richard era outra pessoa. Perdeu o alvará de leiloeiro e também muito da própria auto-estima. Não era mais aquele cara orgulhoso e charmoso por quem eu me apaixonara. Depois do nascimento de nossa filha, ele perdeu o interesse por nós. Tenho certeza de que ele tinha casos, mas nunca pude apanhá-lo em flagrante. Até que ele desapareceu, deixando simplesmente um bilhete para dizer que estava farto de nós.

— E o seu atual namorado?

— Brian? É um cara muito legal. Ele é dentista — disse ela, baixinho.

— Do jeito que você diz, quase parece um defeito.

— Não, nada disso. Ele é um grande sujeito, muito firme e muito confiável. Sei que posso contar com ele, e isto é muito importante para mim. É realmente o oposto do Richard sob muitos aspectos.

— Qual é o problema, então?

— Estou apaixonada, mas ainda não tenho certeza se vou querer passar o resto da vida com ele. Não temos muitos interesses em comum. E há certas coisas nele que me incomodam. Ele é muito teimoso. Passou cinco anos no exército, e às vezes é excessivamente rígido. Parece um verdadeiro rolo compressor. O tipo da coisa que eu não tolero. Mas ele está tentando mudar. Está aprendendo a se relacionar comigo, a abrandar um pouco seu jeito de se comunicar. Mas depois do que aconteceu com o Richard, não sei até que ponto posso confiar na capacidade dele de mudar. Especialmente se nos casássemos.

— E do que é que você gosta nele, além do fato de ser uma pessoa confiável?

Susan ficou pensativa.

— Ele é muito bom. É capaz de me ouvir. E é evidente que me adora e quer casar comigo. Já é muita coisa, não é mesmo?

— Certamente — respondi.

— Que devo fazer, então? — perguntou ela.

Só você sabe, em última análise, o que é melhor para si.

— Ninguém pode lhe dizer o que fazer a respeito de Brian — respondi. — Para começo de conversa, você é a única pessoa que sabe o suficiente sobre si mesma e sobre ele para tomar essa decisão. A resposta está dentro de você, e não em mim, de modo que você terá de descobri-la. Mas eu posso ajudá-la a criar as condições adequadas.

— Tudo bem — disse ela. — Por onde começamos?

— Comece examinando o que vocês têm em comum e também as divergências. Por exemplo, mencione algumas coisas que o Brian gosta de fazer.

Susan pensou por um instante.

— Ele gosta de investir em imóveis. Passa horas e horas investigando propriedades à venda.

— Tudo bem. Como você gosta tanto de aprender, pode passar a viajar nos fins de semana a lugares onde haja propriedades à venda. Pode ajudá-lo a vasculhar esses lugares, aprendendo sobre a demografia da região e pesquisando sobre propriedades à venda na internet.

— Seria divertido! Já me dei o trabalho de observar certos bairros, o que já é um começo — comentou Susan. — Realmente é uma coisa que acho que poderíamos fazer juntos.

— E tenho certeza de que deve haver muitas outras. Por que não faz uma lista das coisas que o Brian gosta de fazer e das coisas de que você gosta? Depois, troque idéias com ele para ver como é possível atender aos interesses de ambos. Tome a decisão de estabelecer uma lista de pelo menos vinte atividades que poderiam fazer juntos com prazer e um sentimento de auto-realização.

— Está bem. Mas não estou certa ainda de que queira passar tanto tempo assim com ele.

— Naturalmente, haverá muitas ocasiões em que desejarão fazer as coisas separadamente. Converse também com o Brian sobre sua necessidade de ter um espaço próprio. Veja se há divergências quanto ao tempo que cada um acha que deve passar com o outro ou separados.

— Parece um excelente plano — concordou Susan. — Acredite se quiser, mas nunca conversamos sobre essas coisas. Pode até ser divertido!

— E também revelador — acrescentei. — Você deve ter em mente que cada um tem em seu interior sua própria obra-prima. Pergunte o que um poderia fazer para ajudar o outro a trazer essa obra-prima para fora. Saiba apreciar as diferenças nos pontos fortes, nas paixões e nos valores de cada um, e tente descobrir como podem se ajudar reciprocamente a dar ao mundo o que vocês têm de melhor. Os grandes relacionamentos e os grandes casamentos são aqueles que revelam o melhor de cada parceiro. Não é à toa que os opostos se atraem!

Grandeza não tem nada a ver com popularidade.

Michelangelo nunca foi um homem acomodado. Ele se destacava por seu enorme talento, sua personalidade e seu compromisso com os próprios princípios.

Muitos achavam que ele era muito briguento. O mais provável, contudo, é que não soubesse se conter quando via algo errado. Observe o nariz achatado em qualquer retrato pintado ou esculpido de Michelangelo. Ele não nasceu assim. Foi algo que lhe aconteceu aos 14 anos, por sua incapacidade de manter a boca fechada. Sempre que via um erro num desenho de Pietro Torrigiano, outro aprendiz no atelier de Ghirlandaio, ele não conseguia se eximir de apontá-lo. Enfurecido com as críticas de Michelangelo, o jovem artista deu-lhe um soco. Mais tarde, Torrigiano relataria o incidente a Benvenuto Cellini, que o reproduziu em sua autobiografia: "Fechando o punho, dei-lhe um soco tão forte no nariz que senti o osso e a cartilagem sendo esmagados como um biscoito. Assim, o sujeito levará minha assinatura no rosto até a morte."

Mas Michelangelo não se corrigiu, continuando a dizer o que pensava, por mais que isto fosse de encontro à ordem estabelecida. Veja-se, por exemplo, o exemplo da arquitetura.

Michelangelo não se considerava um arquiteto. Entretanto, uma vez convidado a fazer projetos arquitetônicos, ele desenvolveu uma visão própria e não se continha quando tinha de dizer algo a respeito. Para começo de conversa, não gostava de ser tratado com condescendência por pessoas que não compartilhavam seus pontos de vista. Seus trabalhos nesse campo costumavam ser supervisionados por um *capomaestro,* que avaliava seu projeto, e um engenheiro, que supervisionava a construção. Esses profissionais, formados nos padrões romanos clássicos, não raro se opunham às concepções incomodamente inovadoras de Michelangelo. E o artista tentava ver-se livre deles — o que não merecia propriamente a aprovação geral. Michelangelo resistia especialmente à supervisão do arquiteto favorito do papa Paulo, Antonio da Sangallo. As discussões entre os dois tornaram-se tão terríveis que o papa teve de calar ambos.

Para ser grande, você tem de estar disposto a modificar tudo.

A incapacidade de Michelangelo de se submeter e se adaptar a todas as circunstâncias indispunha muitos ao seu redor, mas também estava na origem de sua grandeza. Pois o fato é que a grandeza nada tem a ver com popularidade.

Significa assumir riscos e mudar as coisas quando necessário. Suas inovações em matéria arquitetônica não eram apenas perturbadoras: simplesmente revolucionaram essa forma de arte.

James S. Ackerman, um dos mais destacados historiadores de arte e arquitetura dos Estados Unidos, avaliou assim a influência de Michelangelo:

> Michelangelo, um dos maiores gênios criadores da história da arquitetura, costumava afirmar que não era arquiteto. E a afirmação não é uma mera expressão de modéstia da parte de um escultor: ela é fundamental para compreender seus projetos arquitetônicos, concebidos como se as massas de uma estrutura fossem formas orgânicas passíveis de ser moldadas e esculpidas, de expressar movimento, formando sinfonias de luz, sombras e textura, como uma estátua. (...) Essa indiferença aos cânones estabelecidos chocava os contemporâneos de Michelangelo, convencidos de que o grande feito de sua época era ter restabelecido os padrões da arquitetura romana.

Michelangelo era diferente; não se adaptava a modelos criados pelos outros. Sua integridade exigia que dissesse o que pensava e perseguisse o seu ideal, quaisquer que fossem as repercussões do ponto de vista pessoal.

Mark

O currículo de Mark se destacava entre os outros: ele conseguira um MBA numa das principais universidades americanas, trabalhou durante dez anos como gerente de uma das quinhentas maiores empresas do país eleitas pela revista Fortune, galgou cargos de responsabilidade em importantes firmas de consultoria de gerenciamento e foi o capitão da equipe olímpica de esgrima dos Estados Unidos. Não se pode negar que tinha todas as credenciais para trabalhar como executivo sênior no projeto de consultoria que eu estava montando. Pela maneira como seu currículo era apresentado, também se via que ele tinha clareza de idéias, poder de concentração e determinação. Na entrevista, ficou evidente que ele era a pessoa certa para aquele emprego.

Isto foi cinco anos atrás. Agora, Mark, com quem mantive contato depois que o projeto de consultoria foi concluído e aprovado com louvor por nosso cliente, pretendia iniciar um negócio próprio. Sabia que eu passara a me dedicar sobretudo ao treinamento de profissionais. Dessa vez, buscava apoio para os desafios que deveria enfrentar como empreendedor.

Mark é negro, e cresceu nos subúrbios de uma progressista cidade americana do interior na década de 1960. Sua família de classe média era a própria personificação da convicção de que a educação, a integridade e a persistência constituem fatores decisivos para o sucesso na carreira e na vida.

O pai de Mark, originário de uma família pobre, ganhou uma bolsa de atletismo para uma instituição de ensino freqüentada por alunos brancos, na qual foi capitão dos times de futebol americano e basquete. Foi o primeiro americano negro a assumir um cargo executivo em uma grande empresa de equipamentos de escritório.

A família da mãe de Mark, por outro lado, tinha uma grande fazenda no Missouri, dispondo de recursos para mandá-la para um colégio interno. Sua mãe freqüentara uma excelente faculdade na Virgínia, o que era raro para uma jovem americana negra naquela época, e mais raro ainda se considerarmos que ela tinha apenas 15 anos ao ser admitida.

Mark se saiu suficientemente bem nos testes para ser admitido num programa para crianças superdotadas desenvolvido no bairro pobre onde vivia. E aprendeu que sua vida não era como a das outras crianças negras que conheceu ali. Sim, tivera de enfrentar eventualmente manifestações de racismo, mas não tinha de conviver com a realidade que muitas daquelas crianças enfrentavam diariamente: brigas de gangues, drogas, pais alcoólatras, gravidez precoce, criminalidade e o estigma de depender da assistência pública.

Permita que as coisas a que dá importância sejam determinantes em sua vida.

Aos 10 anos, Mark, entusiasmado com a série de televisão *Zorro*, disse aos pais que queria aprender esgrima, e eles prontamente concordaram. No ginásio esportivo municipal, com suas reluzentes vidraças e paredes metálicas, Mark divertia-se duelando com garotos de todas as classes, imaginando-se como um grande espadachim e um herói invencível. Levando a sério o esporte, ele logo alcançaria o nível de competição júnior.

Seu excepcional talento para a matemática também lhe permitiu freqüentar um curso especial de nível médio para futuros engenheiros, patrocinado pela General Electric Corporation. Isto abriu as portas para que viesse a ser aceito por três das principais universidades do país.

Ele escolheu a universidade que oferecia treinamento em esgrima e tinha muitos negros entre seus estudantes. "Como eu estava na equipe de esgrima, fui convidado por colegas a freqüentar um clube gastronômico de elite. Lá, entrei em contato com um mundo que nunca sequer imaginara. Esse clube havia sido freqüentado por F. Scott Fitzgerald. Havia um certo racismo, pois minha presença era inesperada. Era muito difícil. Às vezes, eu sentava a uma mesa, e ninguém falava comigo. Eles me ignoravam apenas, nada muito agressivo. Ninguém ia me abordar para me insultar, mas ninguém estava ali para me fazer sentir à vontade. Bastava fingir que eu não existia. Quando eu vou a algum evento, 25 por cento das pessoas se mostram muito calorosas, e o resto simplesmente me ignora. Embora o racismo fosse endêmico na vida social, não chegava a me atingir na vida acadêmica ou na esgrima. Nunca chegou a afetar meu desempenho. Até que eu fui trabalhar numa grande empresa.

"Depois de me formar na faculdade", prosseguiu Mark, "consegui emprego como engenheiro de sistemas no departamento de marketing de uma das maiores empresas do país. No início, meu supervisor era um sujeito de origem chinesa. Eu me saí muito bem no trabalho com ele. Depois de um ano e meio, tirei uma licença sem vencimentos para fazer meu MBA em Wharton. Eu paguei tudo, e a empresa concordou em me readmitir depois do curso.

"Quando voltei, meu antigo supervisor fora substituído por um homem negro. No início, achei que seria uma coisa boa. Mas ele tinha certas expectativas sobre as metas e aspirações que um negro deveria almejar, certa concepção sobre a maneira como nós, negros americanos, deveríamos nos comportar na instituição. Ele considerava que minhas expectativas eram muito altas e agressivas. Tinha muita dificuldade para aceitar o fato de que eu pertencesse à Society of Black Engineers* e ainda participasse de competições de esgrima. Também achava absolutamente ridículo que eu explorasse os programas da Nasa. Certa vez, quando estávamos conversan-

* Organização fundada nos Estados Unidos cujo objetivo é aumentar o recrutamento de estudantes de engenharia afro-americanos (*N. do E.*)

do sobre meus objetivos de carreira, ele me perguntou: 'Mas você pirou?' Ele não só não me apoiava como achava que eu devia ser punido por pensar daquele jeito.

"Ele transferiu minhas melhores contas para colegas mais experientes e a velocidade de cruzeiro da minha carreira começou a desacelerar. Eu estava acostumado a fazer meu próprio horário, desde que desse conta do trabalho, o que me permitia praticar esgrima e ter uma vida social. No entanto, ele me disse que, se não obedecesse estritamente às regras da empresa, seria demitido.

"Nessa época, passei por períodos de muita dúvida. Comecei a achar que talvez devesse simplesmente 'entrar no jogo', como faziam todos os outros jovens aspirantes na carreira. Passei os dois anos seguintes tentando me adequar. Basicamente, aproveitava o que já estava ao meu alcance, mantinha a boca fechada e tentava não provocar muito.

"Eu fazia parte de uma equipe que atendia uma grande empresa de telecomunicações quando fui convidado a entrar para a equipe olímpica americana de esgrima. Na época, eu era o terceiro no ranking americano. Mas me dei conta de que não teria tempo suficiente para o trabalho e a esgrima. Não teria coragem de olhar os colegas nos olhos diariamente se não cumprisse plenamente a minha parte.

"Por outro lado, também já era capaz de entender, àquela altura, que era franco e agressivo demais para trabalhar numa empresa, e não queria continuar fazendo o jogo necessário para progredir nesse mundo. Percebi que não poderia me comportar como um conformista se quisesse preservar minha integridade pessoal; simplesmente não estaria sendo eu mesmo. Decidi, então, deixar a empresa."

Dedique-se a algo maior que você.

Nos cinco anos transcorridos desde então, Mark passou por alguns empregos de consultoria e aperfeiçoou sua capacitação no setor de marketing, ganhando uma renda suficiente para continuar perseguindo suas metas na esgrima. Na verdade, ganhou uma medalha de bronze como capitão da equipe americana numa competição. Embora ele e sua equipe tivessem êxito nessa disputa internacional preparatória das Olimpíadas, ele não pôde participar dos jogos olímpicos porque se machucou. Mark ficou arrasado, mas permaneceu ao lado do time, torcendo pelos companheiros.

Em meu consultório, percebi que ele não ganhara um grama sequer de gordura em seu físico esbelto desde que o vira pela última vez há cinco anos. E comentei isto com ele.

— Eu continuo participando de disputas de esgrima, corro regularmente, controlo minha dieta e pratico meditação. A esgrima é um dos melhores exercícios para serem praticados por período curto. — Mark não perdia a menor oportunidade de fazer o elogio do esporte que amava.

Ele chegou, então, ao motivo do nosso encontro.

— Quero abrir uma empresa de produção de programas de tevê para promover a esgrima nos Estados Unidos e aumentar a conscientização em relação a esse esporte. E quero também criar condições para que jovens carentes disponham de um lugar onde possam ter a mesma experiência que eu tive na infância.

O que primeiro me ocorreu foi que ele tinha pela frente uma batalha e tanto — algo como ter de escalar um prédio de dez andares. Nos Estados Unidos, a esgrima não tem o prestígio de que desfruta em certos países europeus. Nas Olimpíadas anteriores, a cobertura do esporte na televisão fora muito acanhada. Lembrei-me também das enormes perdas financeiras registradas pelas ligas profissionais de futebol e futebol americano, apesar da ampla cobertura dos meios de comunicação e do apoio de investidores bem generosos. Como aconselhador, fazia parte do meu trabalho ajudar Mark a realizar seu sonho, o que incluía desempenhar o papel de advogado do diabo para descobrir seu grau de determinação.

Perguntei-lhe, então:

— Por que toda essa paixão pela esgrima?

Mark respondeu:

— Gosto das artes marciais, além de ser um esporte em que sempre me saí muito bem, mas é também por causa das pessoas, do treinamento e da disciplina.

Tentei ir mais fundo:

— Como se sente quando está esgrimando?

Mark foi claro em sua resposta:

— É ao mesmo tempo uma questão de saber que você tem um plano, que tem pela frente um adversário empenhado em pôr esse plano a perder a qualquer preço e que, sendo capaz de ir em frente apesar da oposição, vai alcançar o sucesso.

Perguntei-lhe então qual seria sua missão em seu empreendimento. E ele respondeu:

— Quero introduzir mais negros americanos nesse esporte e torná-lo tão popular em nossa comunidade quanto outras artes marciais, como o caratê. Sei que, se não fosse pelos líderes que vieram antes de mim, não teria tido as mesmas oportunidades na vida. Considero muito importante passar adiante tudo que estiver ao meu alcance, ajudando a criar novos mecanismos econômicos na comunidade negra e gerando novas oportunidades. Quero transmitir aos outros as oportunidades e experiências a que tive acesso através da esgrima.

— Que será necessário, então, para realizar seu sonho? — perguntei.

Mark respondeu:

— Preciso manter as coisas em perspectiva. Estou tentando criar uma indústria que não existe, com um público-alvo que não é nem grande nem muito conhecido, e dispondo de recursos financeiros limitados. Por outro lado, outras atividades que já eram muito disseminadas em outros países, entre elas as artes marciais, tiveram um verdadeiro *boom* nos Estados Unidos nos últimos cinqüenta anos. É o caso, por exemplo, do futebol, do caratê, do tai-chi, da ioga. Nenhuma dessas práticas tinha uma clientela significativa aqui. Meu ponto de vista é muito simples. Realmente acredito no que estou fazendo, e uma vez estabelecidos os sistemas e estruturas nos quais estou trabalhando, tenho a convicção de que posso obter um impacto positivo verdadeiramente explosivo. Isto me motiva e me mantém na jogada.

Há um ano Mark vinha trabalhando com afinco no desenvolvimento de planos de negócios e marketing para seu novo empreendimento. Os recursos tecnológicos eram importantes na produção de imagens de alta qualidade das partidas, para que a ação dos esgrimistas, não raro muito rápida para ser captada pelo olhar humano, pudesse ser registrada e reproduzida em câmera lenta. Era uma tecnologia dispendiosa. O mesmo quanto às equipes e consultores necessários para a edição de imagens e som, o material de divulgação e a infinidade de funções necessárias para abrir uma empresa de produção. E havia ainda o site na internet para a reprodução de imagens de vídeo, uma loja on-line de equipamentos de esgrima e produtos correlatos e academias de esgrima para jovens dos bairros pobres.

Mark me convenceu com sua determinação de aço, a clareza de sua visão, a compreensão dos riscos envolvidos, a capacidade de convencer os parceiros dos benefícios a serem alcançados e sua magnífica capacidade de concretizar seu projeto. Se ele era capaz de me convencer da viabilidade de promover a esgrima nos Estados Unidos, talvez pudesse fazer o mesmo com outras pessoas: patrocinadores, investidores. Precisaria lançar mão, naquela jornada, de toda a sua energia física, de sua formação acadêmica de alto nível, da disciplina, dos valores que abraçava, do apoio da família, da capacidade de gerar e manter relações e do inabalável compromisso com o êxito.

Siga os seus princípios, por mais difícil ou inconveniente que isto se revele.

Mais um ano se passou. Mark é hoje um homem que abraçou uma missão. Consegue atrair a atenção das pessoas com a firmeza de sua visão, sua inteligência e sua energia. Investiu uma parte considerável de sua riqueza pessoal nessa nova empreitada e convenceu outros investidores a compartilharem seu sonho. E também convenceu muita gente de que chegou a vez de a esgrima atrair o interesse de pessoas envolvidas em esportes e desenvolvimento pessoal.

Talvez Mark esteja à frente de seu tempo, como Michelangelo, quando rompeu os padrões com suas concepções arquitetônicas inusitadas e polêmicas. Mas também é possível que, como Michelangelo, com perseverança, a disposição de assumir riscos e o compromisso inabalável de alcançar o êxito, Mark encontre uma maneira de realizar seu sonho. Talvez tenha mesmo chegado a hora da esgrima.

Todavia, venha ou não a ter êxito em sua crença na esgrima, o fato é que Mark se manteve fiel a sua personalidade. Ele não se limitou a seguir o caminho mais fácil, mas sim criou condições de vida que têm a ver consigo mesmo e decidiu-se a seguir seus princípios, por mais difícil ou inconveniente que isto se revelasse. Mark pode ou não alcançar o sucesso de Michelangelo, mas, como ele, tem vivido com integridade. Deste ponto de vista, criou uma obra-prima.

Esculpa sua obra-prima particular

Michelangelo levou uma vida que era adequada para ele, e o fez desde a juventude. Descobriu seu talento para o desenho, a mão obediente à mente, ainda na infância. Na adolescência, permitiu que viesse à tona a paixão pela escultura, que o acompanharia pelo resto da vida. E a necessidade de louvar Deus e suas obras provinha da família e da sociedade da Itália renascentista, onde era preponderante a presença da Igreja Católica. Ele encontrou uma maneira de unir seus valores, suas paixões e seus pontos fortes criando maravilhosas esculturas, como as três *Pietàs*, dedicadas à glória de Deus, e o *David*, glorificando a maior das obras de Deus, a humanidade. Michelangelo manteve-se fiel a seus princípios em toda a sua longa e produtiva vida. Michelangelo levou uma vida de integridade.

Para a maioria de nós, o processo de descoberta e construção de uma vida de integridade é mais complicado. Nossa vida é muito corrida e confusa, e não entra nos eixos com facilidade. Susan enfrentava o desafio de transformar seus relacionamentos com as irmãs e o namorado e, ao mesmo tempo preservar como valor central a autenticidade. Mark tinha de romper as amarras de sua vida como "homem de negócios" na América para ser ele mesmo e realizar seu sonho de ajudar a promover e expandir a esgrima.

A jornada em direção à integridade muitas vezes é difícil e tortuosa. Podemos inclusive fracassar. Mas, pensando bem, não parece claro que vale a pena?

Ao embarcar nessa jornada, faça a si mesmo as seguintes perguntas:

- Quem são as pessoas que mais respeito?
- Como se comportam na vida de maneira geral, e não apenas em suas carreiras?
- Eu sacrifico meus valores e paixões por mera conveniência?
- Estou levando a vida que me convém ou me preocupo em atender às expectativas dos outros?
- Eu me dedico diariamente àquilo que realmente me apaixona?
- Minhas ações têm algum peso para meus amigos e parentes?
- Minhas ações têm algum peso na vida de outras pessoas?
- Eu sou autêntico? Os outros me vêem como realmente sou ou enxergam apenas uma máscara que disfarça minha verdadeira individualidade?
- Eu sempre honro minha palavra?
- Assumo plena responsabilidade em todas as áreas da minha vida?
- Sinto-me aberto a novas possibilidades de crescimento e desenvolvimento?

Exercícios de descoberta

1. Volte a consultar os exercícios de descoberta dos capítulos 1 e 2, nos quais revelou seus valores, paixões e pon-

tos fortes. Anote seus dois valores mais altos, suas duas paixões mais fortes e seus dois principais pontos fortes. Deixe dez linhas em branco entre cada um deles.

2. Embaixo de cada um desses seis itens, redija uma avaliação da importância do papel que representa atualmente em sua vida. Quanto mais importante for esse papel, mais você estará vivendo uma vida que combina com você — ou seja, uma vida de integridade.
3. Sob cada uma dessas avaliações, escreva três maneiras de aumentar a influência desses valores, paixões e pontos fortes em sua vida.
4. Estabeleça listas de hábitos diários, semanais, mensais e anuais com os quais venha a se comprometer para nutrir seu corpo, seu coração e sua mente de modo a assegurar que leve uma vida de integridade. Por exemplo, faça exercícios e medite diariamente, participe semanalmente de passeios com a família ou os amigos, cultive mensalmente algum tipo de atividade cultural e faça todo ano um check-up médico. Gere e programe oportunidades de fazer coisas de que goste, observar seus valores e desenvolver seus talentos.
5. Trate agora de incorporar essas mudanças a sua vida diária. Integridade nunca é demais!

Conclusão

Existe uma arte da maestria. E existe uma arte das mudanças na vida. Caso seja capaz de entendê-la, você terá dado o primeiro passo em direção à sua obra-prima — a vida extraordinária que sempre quis.

Praticar a arte da mudança significa perseverar num propósito. Tal como acontece quando se transforma o mármore numa obra-prima, para transformar suas paixões, seus valores e seus talentos numa vida extraordinária é necessária uma combinação única de criatividade, estratégia e fé. Você precisa lançar mão de sua mais profunda capacidade de percepção e direcioná-la para sua meta.

Como vimos, a vida de Michelangelo contém importantes lições na arte do autodomínio. E também vimos como é possível mudar nossa vida aplicando o Método Michelangelo à busca de nossa obra-prima pessoal.

Você também pode fazê-lo.

Seguindo o Método Michelangelo, você pode liberar sua obra-prima interior e criar uma vida extraordinária. Afinal, o potencial para a maestria está dentro de cada um de nós.

Trate, então, de utilizar esse método. Descubra o seu ideal. Comprometa-se com ele. Planeje, prepare, inove e lute. Invista contra o seu Golias. Crie a sua obra-prima.

É fazendo que se aprende.

Epílogo

O que acontece quando pessoas como você e eu colocam em prática os princípios do Método Michelangelo? A história de Roger e Adam, dois colegas que empreendem essa jornada, resume bem a maneira de liberar sua obra-prima interna e criar uma vida extraordinária.

Roger e Adam

Roger Avery era um tipo original que, ao deixar pela última vez o escritório, saiu exibindo sua felicidade, batendo com os calcanhares um no outro no ar, como Gene Kelly.

Ao se despedir dessa maneira, ele se tornou uma figura mítica na empresa, projetando as fantasias de libertação de cada um. Pois ele conseguira dar adeus — chegando até a bater com os calcanhares um no outro —, e eles simplesmente haviam assistido à cena por cima das divisórias de seus cubículos.

Quinze anos antes, Roger e seu colega Adam Green tinham começado a trabalhar juntos no departamento de contabilidade de uma grande fábrica de semicondutores. Haviam estado sempre em projetos diferentes, sem nunca chegar a competir pela mesma promoção, de modo que facilmente se tornaram amigos, sempre almoçando juntos na lanchonete do subsolo.

Roger e Adam eram diferentes sob muitos aspectos. Mas cada um sabia apreciar o que o outro tinha de diferente, e os dois sempre jogavam conversa fora — e reclamavam.

Ao se conhecerem, Roger e Adam estavam trabalhando na contabilidade da empresa há cerca de um ano apenas. Naquela época, estavam cheios de entusiasmo e vontade de enfrentar desafios. Eram jovens. Estavam começando suas carreiras no mundo das finanças cheios de expectativas. Sentiam-se capazes de modelar o futuro com a vontade, as mãos e o coração.

Ao completarem 27 anos na mesma semana, depois de ouvirem os colegas entoando seus nomes no "Parabéns para você", começaram a discutir o futuro enquanto comiam os restos da torta de chocolate. Um dia, mudariam a maneira de administrar aquela empresa. Estabeleceriam novos procedimentos. Aplicariam novas tecnologias de gerenciamento. Estariam à frente daquele departamento ou disputariam a gerência financeira.

Mas à medida que o tempo passava, Roger e Adam foram sentindo o peso da frustração com a política da empresa. Rapidamente constataram que ali as promoções para valer eram raras e espaçadas e, quando ocorriam, eram oferecidas em geral a recém-chegados. Sem novos desafios, o trabalho virava uma escravidão.

Ao mesmo tempo, o panorama no mercado de trabalho parecia desalentador. E, de qualquer maneira, que perspectivas teriam? Eles sabiam que não queriam ficar naquele emprego, mas que poderiam fazer se fossem embora? E que outro emprego poderia ser melhor, por pior que fosse aquele? Os dois estavam em conflito. Por um lado, sentiam-se resignados. Por outro, havia aquela fantasia cinematográfica: uma rota de fuga oculta por trás do pôster na parede da prisão.

Nas conversas da hora do almoço, o foco passou a se voltar cada vez mais para seus sonhos, seus hobbies, a vida fora das paredes do escritório. Adam compartilhava com Roger sua paixão pela fotografia, as fotos artísticas que tirara no Pacífico e seu interesse pela pintura italiana, especialmente os esplêndidos afrescos de Michelangelo no teto da Capela Sistina. Roger falava a Adam de barcos a vela, das previsões sobre os ventos leste no fim de semana, mostrando-lhe fotos da casa que alugara na baía. Certa vez, chegou inclusive a esboçar num guardanapo de papel o projeto daquela que seria, segundo dizia, "a suprema máquina de velejar".

Sim, eles sonhavam em voz alta sobre as mudanças que poderiam operar em suas vidas, a melhor maneira de virálas pelo avesso para dar um jeito de transformar suas paixões de fim de semana em trabalho diário, mas o fato é que o mundo das mudanças parecia um pontinho muito distante no fim do universo, um planeta-fantasma.

No caso de Adam, não parecia ao alcance a energia necessária para correr o risco da mudança. Quando lançava um olhar sobre sua própria vida, tudo que via eram compromissos. Responsabilidades com a família e com a comunidade. Eram escolhas que havia feito anos antes. Nelas havia um elemento de estabilidade, uma base de amor que ele não se dispunha a trocar pela névoa de um sonho.

Mas a vida de Roger apresentava uma fenda longa e perigosa que acabaria por modificá-la.

Roger descobriu que sua mulher voltara a beber, depois de sete anos de abstinência. Tentou preservar tanto ela quanto o casamento. Bem lá no fundo, sentia que o mundo desmoronava rápido demais para que pudesse sustentá-lo com suas mãos amorosas. Quando descobriu também que ela tinha um caso, deu-se conta de que os abismos já eram tão fundos que não seria possível superá-los.

No sexto aniversário de casamento, Roger e a mulher não tinham motivos para comemorar. Em vez disso, havia entre eles um pedido de divórcio que projetava um clarão ofuscante em tudo que haviam feito de errado. Quando esse foco se voltou para Roger, ele se viu obrigado a olhar bem lá no fundo de si mesmo. E o que viu foi uma palavra latejando em seu coração, incitando-o repetidas vezes, sussurrando: *mudança*.

Logo a palavra "mudança" se tornou um verdadeiro mantra para Roger. Diariamente, no almoço, a notícia do dia era uma verdadeira revelação. Num fim de semana, ele se mudou para um condomínio. No seguinte, vendeu sua BMW praticamente nova e comprou uma Toyota usada para economizar. Ele se dizia disposto a fazer "algo" de que ainda não estava certo. Seis meses depois, lá estava Roger Avery abandonando o emprego, batendo os calcanhares, dançando porta afora.

Quando Roger desapareceu daquele mundo cinzento, começaram a pipocar boatos no escritório. Alguns pareciam bem razoáveis. Roger estaria trabalhando para a concorrência. Ia matricular-se num MBA em Columbia. Alguém achou tê-lo visto dando aulas de análise de mercado na faculdade local. Outros já não eram tão razoáveis assim. Roger tinha mudado para a Costa Rica e estava vivendo numa praia, observando os tucanos e comendo mamões colhidos na hora. Tinha encontrado Deus e entrado para uma seita em Montana. Houve até quem dissesse que estava trabalhando secretamente para a CIA nas montanhas do Paquistão.

Quando Adam recebeu um telefonema de Roger três anos após sua partida, o mistério permanecia. O próprio Roger mostrou-se enigmático. Não jogou conversa fora. Toda vez que Adam fazia perguntas do tipo "Como vão as coisas?", a resposta era uma risada e o comentário "É uma história para contar pessoalmente." E ao desligar o telefone, tendo concordado em almoçar com ele em sua casa duas horas depois, Adam estava um pouco apreensivo.

Adam temia o que poderia encontrar pela frente. Será que encontraria o Roger pirado, professor, praieiro ou agente secreto?

A caminho da casa do velho amigo, Adam chegou à orla de uma pitoresca cidadezinha de veraneio. A nova casa de Roger era um depósito adaptado. Ao sair do carro, Adam recebeu no rosto uma lufada de ar. Instantaneamente foi tomado por uma sensação de calma. Alguma coisa naquele lugar parecia muito boa. Era exatamente onde Roger tinha mesmo de estar.

Com um sorriso tranqüilo, Roger abriu a porta para Adam entrar. O cabelo estava um pouco mais longo e embranquecido nas têmporas, e no rosto ele não trazia os vincos da idade, mas as rugas da vida. Ele apertou a mão estendida de Adam, deu-lhe um abraço e começou a mostrar-lhe a casa.

Cada centímetro da casa falava de Roger Avery, das ripas de madeira no piso ao leme na parede, da cozinha americana à trabalhada cadeira de couro instalada de frente para a janela envidraçada — um perfeito ponto de observação do mar.

E quando Adam olhou pela vidraça, seu queixo caiu. Bem ali à beira d'água, amarrada ao cais, estava aquela "suprema máquina de velejar" que vira um belo dia esboçada num guardanapo de papel, o barco concebido por Roger tantos anos antes.

— É o seu barco! — exclamou Adam.

Roger anuiu, sorrindo:

— A Suprema Máquina de Velejar. É o que tenho feito ultimamente. Neste exato momento, tenho 35 desses filhos percorrendo as águas de todo o mundo.

Adam estava pasmo. Roger não tinha apenas deixado o emprego. Deixara completamente sua outra vida para o passado. E não tinha motivos para olhar para trás. Tinha uma casa que podia ser considerada um santuário. Tinha uma nova carreira. Abrira um negócio próprio orientado pela visão de um sonho, e prosperava.

À parte tudo isto, o que mais chamou a atenção de Adam foi a expressão de Roger. Era um olhar maravilhado, o olhar de um homem que quase não conseguia acreditar na própria sorte. Em suma, Roger Avery estava feliz, e mesmo eufórico. Tinha recomeçado, dessa vez com o pé direito.

Mas o que teria permitido tudo aquilo? Quando se haviam visto pela última vez, três anos antes, conversando sobre suas respectivas frustrações na hora do almoço, a vida de Roger estava pior que a de Adam. E agora Roger parecia uma borboleta libertada do casulo. Vendo-o daquele jeito, quase não dava para acreditar que um dia estivera preso à terra.

— Muito bom, Roger. Como foi que conseguiu? — perguntou Adam. — Como foi que chegou de onde estávamos até aqui?

Roger contou sua experiência com um orientador de carreira, que o ajudara a se dar conta de que a vida extraordinária que buscava já estava dentro dele mesmo. Os dois haviam trabalhado então para descobrir seus valores mais importantes, suas paixões e talentos, tratando de retirar as questões pessoais e profissionais que obscureciam a "obra-prima dentro dele", no dizer do orientador.

Adam estava impressionado. Mas bem lá no fundo também se sentia comprometido com o caminho escolhido há tanto tempo. "Às vezes", pensou, "precisamos apenas deitar na cama feita por nós mesmos. Às vezes temos simplesmente de parar de tomar decisões."

Mas Adam estava errado. Pois viver é tomar decisões. Que é a vida, senão uma série de decisões? A cada segundo que passa, a vida desdobra diante de nós uma série de possibilidades. Enquanto vamos vivendo e respirando, estamos escolhendo uma possibilidade em detrimento da outra. Às vezes escolhemos com cautela, outras, com ousadia; mas como quer que seja feita a nossa escolha, ao escolher, estamos nos abrindo para outras opções.

Poderíamos dizer que cada escolha nos abre para uma outra vida. Como nas bonecas russas contidas umas nas outras, dentro de cada decisão se esconde uma outra. No interior de cada escolha encontra-se um caminho que só se revela se você abraçar aquela possibilidade específica.

Nossas mais ínfimas decisões podem ter efeitos profundos em nosso mundo. Optar pelo papel em vez do plástico pode salvar o mundo, especialmente se muitos o fizerem. O simples bater das asas de uma borboleta pode desencadear uma série de acontecimentos que provocarão um tornado a milhares de quilômetros de distância.

Adam Green tinha 20 anos quando se deparou com a decisão mais importante de sua vida: ficar numa festa e tomar mais uma cerveja com os amigos ou ir para casa dormir. Ele optou por tomar mais uma cerveja.

Nenhuma coisa terrível decorreu daquela cerveja a mais. Ele não sofreu nenhum acidente. Nem sequer acordou de ressaca. Mas efetivamente acabou ficando mais do que esperava. Uma hora mais.

Ao voltar a seu dormitório, despiu-se, caiu na cama e fechou os olhos. Ainda não era uma hora da manhã.

Na manhã seguinte, Adam acordou tranqüilamente. O sol entrava pelas frestas da persiana. Do gramado lá embaixo, chegava o rumor de uma partida de futebol. Alguém deu uma risada embaixo da janela. Com os dedos, ele afastou duas lâminas da persiana para ver lá fora. Era uma bela tarde de primavera.

Já era de tarde!

Adam afastou-se da janela e foi verificar o despertador na mesa de cabeceira. Era uma hora da tarde! Sacudiu o relógio, revoltado. Por que não havia tocado? Porque não havia sido acionado.

Inexplicavelmente, sem saber como, sua decisão de ficar na festa só um pouquinho mais havia desequilibrado sua rotina, e, para resumir, ele estragara tudo. Perdera a hora para a apresentação de seu projeto de fim de ano na aula de fotografia.

No fim das contas, a decisão de ficar mais um pouco para tomar a última cerveja levou a uma seqüência de acontecimentos que começavam com a perda daquela apresentação e acabavam com mais uma mudança de cadeira, desta vez da fotografia para a gestão de negócios. De certa maneira, poderíamos dizer que aquela cerveja a mais fez de Adam Green o homem que é hoje.

Digite no buscador Google o nome "Adam Green", e você encontrará mais ou menos 880 mil entradas. Milhares de vidas que poderiam ter sido vividas: um jovem músico;

pelo menos 15 advogados, dois dos quais trabalham juntos; o principal executivo de uma empresa com um volume de negócios de milhões de dólares; um corredor que concluiu a Maratona de Nova York em menos de três horas em 2002; um jogador de futebol razoavelmente conhecido; um talentoso diretor de cinema; um arquivista de museu; um cientista que pesquisa o campo do raciocínio analógico; um punhado de psicoterapeutas, nos Estados Unidos e no exterior; e um contador de uma empresa de semicondutores que anos depois continuava trabalhando no mesmo cubículo cinzento, no mesmo escritório cinzento. Milhares de Adam Green diferentes; pelo menos 1 milhão de possibilidades que faziam deles os Adam Green que eram hoje.

E se não era o Adam Green que queriam ser, terá sido por causa das escolhas que fizeram. Terão de conviver com as decisões que tomaram e extrair o melhor de sua vida nesse planeta como Adam Green.

Mas não seria bom pensar que em determinados dias poderiam ter trocado de lugar? E se o banqueiro Adam Green telefonasse ao músico Adam Green e cada um dos dois decidisse desempenhar o papel do outro, ainda que apenas por uma noite?

Um Adam Green ensinaria ao outro algumas canções ao violão, e este último ensinaria àquele tudo sobre as taxas de juros. O banqueiro Adam Green subiria ao palco naquela noite para ser aclamado pelos fãs e na mesma noite o músico Adam Green iria negociar com um cliente à mesa do jantar, diante de um prato de filé acompanhado de vinho Bordeaux. E então, no dia seguinte, Adam Green e Adam Green retomariam suas vidas habituais — ou não.

Alguém poderia dizer que a decisão de ser outra pessoa nunca está ao nosso alcance, a não ser em algum filme de

Hollywood em que a mãe se transforma na filha ou o filho se transforma no pai, e todos aprendem a se entender. Encaremos os fatos. Adam Green é Adam Green. Nós somos quem somos. Às vezes simplesmente não temos qualquer possibilidade de escolher a mudança.

Mas Roger Avery tinha motivos para discordar. "Que teria acontecido se Michelangelo tivesse decidido dar prosseguimento a seus estudos tradicionais, não se esforçando por convencer o pai a permitir que se tornasse um aprendiz de Ghirlandaio? Será que teria se tornado um comerciante bem-sucedido? Algum dia teria jantado à mesa dos Medici?

"E quanto à sua cidade? Teria tomado a frente da defesa de Florença? Ou se teria tornado apenas mais uma baixa na guerra? Será que a sociedade florentina teria resistido às pressões sem o *David* para inspirar e mobilizar seus cidadãos?

"E que teria acontecido à arte? Alguém mais teria investido o próprio gênio na tentativa de entender a importância da anatomia estrutural no desenho das formas humanas? Algum outro artista se teria apoderado desse conhecimento para criar a cúpula da Basílica de São Pedro? Teríamos tido um Rodin se Michelangelo, o futuro comerciante, tivesse decidido não se tornar Michelangelo, o artista?"

E será que haveria um Roger Avery?

Alguns anos atrás, Roger Avery resolveu descobrir o que acontecera a seu velho amigo Adam Green. Telefonou então para seu número antigo que, como Adam, não havia mudado.

Adam pensou: "Talvez amanhã eu telefone ao Roger para fazer-lhe uma pergunta. E se eu tivesse decidido tornar-me Adam Green, o fotógrafo?" Ele já sabia que a resposta seria outra pergunta: "E se você decidisse agora tornar-se um fotógrafo?"

Naquela noite, Adam surpreendeu-se pensando na primeira fotografia que tirara. Quando tinha apenas 11 anos, pedira ao pai que lhe comprasse uma câmera.

Ao abrir os presentes que recebera ao completar 12 anos, lá estava ela, dentro de uma caixa azul. Sua própria Brownie! Nem quis saber dos outros brinquedos. Nem perdeu muito tempo com a bola de futebol ou o trenzinho que produzia fumaça de verdade. Leu o manual, carregou a câmera e saiu correndo para tirar sua primeira fotografia.

Mas que deveria fotografar? Correu ao redor da casa, com a câmera na mão, mas nada parecia muito interessante. Já vira tudo que havia naquela casa mais de cem vezes. Queria que sua primeira fotografia registrasse alguma coisa diferente, algo que nunca tivesse visto realmente até então.

Enquanto procurava pela casa, ele passou em frente ao espelho no banheiro. Nele, estava se vendo na posição invertida, como mostra qualquer espelho. Era isto! Havia na casa uma única coisa que nunca vira como realmente era: ele mesmo.

Voltou a câmera para si mesmo, tentando adivinhar o melhor ângulo e esperando que ela se mantivesse em foco à distância do seu braço.

Quando seu pai trouxe da loja o primeiro filme copiado e revelado, ele logo tratou de encontrar aquela fotografia. Lá estava ela. A imagem, trêmula. O enquadramento, estranho. Uma experiência imatura. Mas ele estava ali.

Pela primeira vez, ele se via como os outros o viam. Ele estava *se vendo*. Deve ter olhado para aquela foto mais de mil vezes.

Adam tentava imaginar agora onde fora parar aquela foto. Teria caído entre as tábuas do assoalho quando fizeram a mudança? Será que sua mãe simplesmente esquecera de embrulhá-la? E se o seu irmão a tivesse rasgado num acesso de fúria, quando brigaram por causa de uma menina cujo nome sequer lembrava? De qualquer maneira, a havia perdido para sempre — exceto na lembrança.

Já passava de meia-noite. Adam caminhava tranqüilamente ao redor da casa. Sua filha estava dormindo profundamente no quarto, como sempre abraçada ao coelhinho cor-de-rosa que lhe dera quando ela estava com apenas 3 anos. Mais adiante, sua mulher sorria dormindo. Estaria sonhando que ele se deitara a seu lado? Ele gostaria que assim fosse. O resto da casa estava mergulhado na escuridão, mas ele a conhecia bem. Cada compartimento fora construído com o suor de seu trabalho de uma vida — exceto o porão, que continuava abrigando a mesma bagunça de sempre em algumas poucas prateleiras.

Adam começou a remexer nas caixas ali dispostas. E a encontrou por trás de uma pasta de recibos antigos. A sua velha Brownie. Apertou o disparador. Alguma coisa aconteceu. Não se sabe como — como seria possível? —, a câmera estava carregada.

Pelo canto do olho, ele viu o próprio reflexo num velho espelho. Os cabelos já ficando grisalhos, a barriguinha crescendo, algumas marcas de arrependimento — ele estava envelhecendo, mas nunca é tarde demais para escolher. Não enquanto estamos vivos.

Adam posicionou a câmera numa das prateleiras, puxando o espelho para o seu lado. Postou-se diante dele, olhando-se nos olhos. Pensou em Roger Avery, tentando imaginar se bateria com os calcanhares se pudesse vê-lo agora. Pensou em Michelangelo. Pensou no seu Adão na Capela Sistina e no espaço entre os dedos de Adão e o de Deus. Pensou nos acontecimentos desencadeados naquele encontro dos dedos, em todas as escolhas, toda a vida, todas as possibilidades, no florescer do gênio e nas obras-primas ainda por fazer.

Aí está o dedo de Adam indo em direção ao espelho. Aí está Adam Green tentando tocar Adam Green. Aí está Adam disparando a câmera. É a sua primeira fotografia.

É a sua criação.

Apêndice A

Lista de valores, paixões e pontos fortes

As listas a seguir estão aqui para ajudá-lo a descobrir seus próprios valores, paixões e pontos fortes. Acrescente aqueles que você mesmo identificar, à medida que sentir necessidade.

Exemplos de valores pessoais

Abertura
Amizade
Amor
Autenticidade
Auto-realização
Auto-respeito
Aventura
Beleza
Compaixão
Competição
Conhecimento
Cooperação
Criatividade
Equilíbrio entre a vida pessoal e o trabalho
Espiritualidade
Família
Felicidade
Harmonia
Igualdade
Integridade
Lealdade
Liberdade
Realização
Relacionamentos
Relações sociais
Religião
Reputação
Riqueza
Romance
Saúde

Exemplos de valores profissionais

Acessibilidade
Autoconfiança
Compaixão
Competição
Confiabilidade
Conhecimento
Criatividade
Disposição
Equilíbrio entre a vida pessoal e o trabalho
Excelência
Flexibilidade
Formalidade
Honestidade
Igualdade
Importância
Inovação

Integridade
Lealdade
Liderança
Relações sociais
Reputação
Riqueza
Trabalho em equipe
Voluntariado

Exemplos de paixões

Ajudar os sem-teto
Alimentos orgânicos
Animais
Artesanato
Automóveis antigos
Barcos a vela
Caminhadas
Colaborar em revistas de saúde e bem-estar
Colecionar selos
Concepção de sites na internet
Corridas de cavalos
Corridas de motocicletas
Criação de cães
Debater
Decoração de interiores
Ensinar artes a crianças
Ensinar para adultos
Escotismo
Escrever resenhas de livros
Estudar história militar
Fins de semana em hotéis
Fotografia
Genealogia
Golfe
Ir ao cinema
Jardinagem
Jogos de mesa
Ler livros de auto-ajuda
Mágica
Maratonas
Mergulho
Números cômicos
Obras de caridade
Ouvir música clássica
Palavras cruzadas
Participar de um coral
Pilotar aviões
Pintura
Pôquer
Preservação ambiental
Reforma de moradias
Reuniões em família
Reunir-se com os amigos
Ser bombeiro voluntário
Teatro amador
Tênis
Treinamento esportivo para jovens
Trenzinhos de brinquedo
Trilha
Visitas a parques nacionais

Exemplos de pontos fortes

Aprender coisas novas
Cantar
Capacidade administrativa
Capacidade atlética
Capacidade de análise
Capacidade de comunicação
Capacidade de organização
Carpintaria
Chefiar pessoas
Construção
Contar histórias
Cozinhar
Curar

Dançar
Debater
Design
Destreza
Diplomacia
Ensinar
Entrevistar
Escrever
Falar em público
Força física
Fotografia
Imaginação
Investigação
Jardinagem
Liderança
Marketing
Memorização
Navegação
Negociação
Observação
Ouvir
Percepção
Persistência
Persuasão
Pesquisar
Planejamento
Relações interpessoais
Representar
Resistência
Seguir instruções
Talento artístico
Talento para a informática
Tecer relacionamentos
Tocar um instrumento musical
Trabalhar com animais
Trabalhar com crianças

Apêndice B

Fontes

Segue-se uma relação de livros e sites da internet, com informações adicionais para apoiá-lo em matéria de mudança e domínio de carreira, abertura de negócios e desenvolvimento pessoal. Você está convidado a visitar nosso site, michelangelomethod.com, para ter acesso aos mais recentes acréscimos a essa lista de fontes.

Mudança de carreira

- *The Pathfinder*, de Nicholas Lore. Um guia prático para encontrar um trabalho mais envolvente e gratificante.
- *Eu poderia fazer qualquer coisa se soubesse o quê*, de Barbara Sher. Idéias valiosas para ajudá-lo a ter uma visão de sua futura carreira.
- *The Purpose of Your Life: Finding Your Place in the World Using Synchronicity, Intuition, and Uncommon Sense*, de Carol Adrienne e James Redfield. Um valioso guia, com muitas idéias para a descoberta do seu objetivo na vida.
- *Qual a cor do seu pára-quedas?*, de Richard Nelson Bolles. Um guia sobre tudo que você precisa saber para mudar de emprego e carreira.

- wetfeet.com. Um excelente site para a investigação de possíveis carreiras.
- careers.org. Fontes sobre trabalho alternativo.
- thefutureofwork.net. Uma valiosa análise da maneira como a globalização, a tecnologia e outras tendências vêm alterando a natureza do trabalho.

Sucesso e domínio na carreira (geral)

- *The Inner Game of Work: Focus, Learning, Pleasure, and Mobility in the Workplace*, de W. Timothy Gallwey. Novas e estimulantes formas de pensar no seu trabalho e na sua carreira, melhorando seu desempenho.
- *Overcoming Your Strengths: 8 Reasons Why Successful People Derail and How to Remain on Track*, de Lois P. Frankel. Uma abordagem inovadora para manter sua carreira nos trilhos. Contém excelentes conselhos sobre as maneiras de alcançar o sucesso em seu atual emprego e desenvolver novas capacitações para o próximo.
- *Primeiro quebre todas as regras: as melhores práticas dos melhores executivos*, de Marcus Buckingham e Curt Coffman. O que todo gerente e dirigente precisa saber para manter os empregados motivados no trabalho.
- *The 4 Realities of Success During and After College*, de Bob Roth. Um grande ponto de partida para estudantes universitários que estão prestes a entrar no mercado de trabalho. Contém recomendações práticas sobre busca de emprego e as melhores condições para dar a partida em sua nova carreira.
- *Power Networking Second Edition: 59 Secrets for Personal & Professional Success*, de Donna Fisher e Sandy

Vilas. Informações reunidas por duas mestras no estabelecimento de redes de contato e relacionamento, com recomendações sobre a melhor maneira de ampliar sua capacidade nessa frente — uma das mais importantes quando se trata de mudar de carreira ou ter êxito na carreira.

Sucesso e domínio na carreira (carreiras específicas)

- *Manage IT: A Step by Step Guide to Help New and Aspiring IT Managers Make the Right Career Choices and Gain the Skills Necessary*, de Joe Santana e Jim Donovan. Um guia prático para ajudar gerentes da área de novas tecnologias da informação a fazer a transição da área técnica para a de gerenciamento.
- *Million Dollar Consulting, New and Updated Edition: The Professional's Guide to Growing a Practice*, de Alan Weiss. Idéias valiosas para montar com sucesso uma consultoria, para consultores tanto experientes quanto iniciantes.

Empreendedorismo e negócios

- *O mito do empreendedor: como fazer de seu empreendimento um negócio bem-sucedido*, de Michael E. Gerber. Esclarecimentos e estratégias fundamentais para ajudá-lo a fazer a transição de empregado a proprietário de um pequeno negócio.
- *Managing the Professional Service Firm*, de David H. Maister. Um guia abrangente sobre o passo a passo da abertura e gestão de uma empresa de prestação de serviços profissionais.
- *Nichecraft: Using Your Specialness to Focus Your Business, Corner Your Market and Make Customers Seek*

You Out, de Lynda Falkenstein. Informações para definir e focar a atenção no seu alvo de mercado.

Desenvolvimento pessoal

- *A arte da possibilidade*, de Rosamund Stone Zander e Benjamin Zander. Ensinamentos reveladores para levar uma vida de possibilidades infinitas.
- *Os 7 hábitos das pessoas altamente eficazes*, de Stephen R. Covey. Um guia sobre os sete hábitos a serem cultivados permanentemente para melhorar os relacionamentos pessoais e de negócios.

Livros sobre Michelangelo

Num poema escrito em 2002, o papa João Paulo II exortou os cardeais que escolheriam o papa seguinte a se inspirarem em Michelangelo: as nove cenas bíblicas do livro do Gênesis que estão no teto da Capela Sistina e o *Juízo final*, que se encontra na parede do altar. Escreveu ele:

> É aqui, sob a maravilhosa profusão de cores da Sistina, que se reúnem os cardeais, formando a comunidade responsável pelo legado das chaves do Reino.
>
> Durante o conclave, Michelangelo terá o que lhes ensinar. Não esqueçam: todas as coisas estão nuas e abertas ante os Seus olhos [de Deus]. Vós que tudo vedes, apontai para ele! Ele o apontará.

Sobre a vida e a obra de Michelangelo, recomendamos os seguintes livros, que poderão inspirá-lo, assim como inspiraram os cardeais que elegeram o papa Bento XVI.

- *The Agony and the Ecstasy: A Biographical Novel of Michelangelo*, de Irving Stone. Um romance biográfico fascinante e muito bem pesquisado que pode ser lido como ficção.

- *Michelangelo: The Sistine Chapel Ceiling: Illustrations, Introductory Essay, Backgrounds and Sources, Critical Essays* (Norton Critical Studies in Art History), de Charles Seymour (editor). Este livro oferece uma descrição completa do duplo drama — artístico e espiritual — com que Michelangelo se defrontou na realização do teto da Capela Sistina.
- *Michelangelo: A Biography*, de George Bull. Possivelmente a melhor biografia disponível de Michelangelo: completa e de excelente leitura.
- *The Life of Michelangelo*, de Ascanio Condivi; Hellmut Wohl (editor) e Alice Sedgwick Wohl (tradutora). Condivi, aluno, assistente e confidente de Michelangelo, oferece uma visão contemporânea do artista, freqüentemente recorrendo a sua experiência direta.
- *Complete Poems and Selected Letters of Michelangelo*, de Michelangelo e Creighton Gilbert (tradutor). Uma excelente maneira de entender o caráter, os valores e os relacionamentos de Michelangelo é a leitura desses poemas e cartas.
- *Michelangelo*, de Anthony Hughes. Com belas reproduções coloridas, Hughes torna mais fácil acompanhar o desenvolvimento paralelo da vida e da arte de Michelangelo.
- *Life of Michelangelo*, de Giorgio Vasari (Introdução de Frank Sadowski; tradução de Gaston Du C. De Vere). Cheia de opiniões e de leitura fácil, esta biografia escrita por um historiador da arte que conheceu Michelangelo constitui fonte primordial de todas as biografias modernas.

Bibliografia

Ackerman, James. *The Architecture of Michelangelo*. Chicago, 1961.

Beck, James. *Three Worlds of Michelangelo*. Nova York, 1999.

Bull, George. *Michelangelo, a Biography*. Nova York, 1995.

____________. *Michelangelo: Life, Letters, and Poetry*. Oxford, 1987.

Condivi, Ascanio. *The Life of Michelangelo*, tradução de Alice Wahl. University Park, PA, 1999.

Hall, James. *Michelangelo and the Reinvention of the Human Body*. Nova York, 2005.

Hibbard, Howard. *Michelangelo*. Nova York, 1974.

Hughes, Anthony. *Michelangelo*. Londres e Nova York, 1997.

King, Ross. *Michelangelo e o teto do papa*. Rio de Janeiro, 2005.

Linscott, Robert (ed.). *Complete Poems and Selected Letters of Michelangelo*. Princeton, 1963.

Murray, Linda. *Michelangelo*. Londres, 1980.

Scigliano, Eric. *Michelangelo's Mountain*. Nova York, 2005.

Seymour, Charles, Jr. *Michelangelo: The Sistine Chapel Ceiling*. Nova York, 1972.

Stone, Irving. *The Story of Michelangelo's Pietà*. Garden City, NY, 1964.

Symonds, John Addington. *The Life of Michelangelo Buonarroti*. Nova York, 1936.

Vasari, Giorgio. *Life of Michelangelo* (1568), tradução de Gaston de Vere. Nova York, 2003.

Wallace, William (ed.). *Michelangelo: Selected Readings.* Nova York e Londres, 1999.

Índice remissivo

Sobre os autores

Kenneth Schuman é co-fundador da Career Renaissance LLC. Fornece orientação e treinamento profissional e pessoal para indivíduos e grupos empenhados na busca de novos e melhores caminhos. Obteve um MBA na Universidade de Columbia e um MSW no Hunter College, além de certificado da Target Training International como analista de valores e comportamentos. Ken foi diretor executivo da Queens County Mental Health Society e da Lower East Side Family Union. Trabalhou como assessor do prefeito de Nova York, o que levou à sua nomeação como comissário de desenvolvimento econômico. Transferiu-se em seguida para o setor de bancos de investimento, como vice-presidente de finanças corporativas da Lehman Brothers, e depois para a área de desenvolvimento de projetos habitacionais para famílias de renda média e baixa. Vive com sua mulher, Wendy, em Essex Fells, Nova Jersey.

Ronald Paxton é co-fundador da Career Renaissance LLC. Especializou-se em treinamento e orientação profissional e pessoal, tendo realizado oficinas e seminários em várias partes do mundo. Foi presidente da New Jersey Professional Coaches Association e é membro da diretoria do Northern New Jersey Chapter da American Society of Training and Development. Está à frente do Coach U Career Coaches e dos Information Technology Coaches Special Interest Groups. Desempenhou funções executivas e de gerenciamento na IBM, na Unisys e na PricewaterhouseCoopers. Ron tem certificado da Target Training International como analista de valores e comportamentos. Graduado pelo Coach U, tem grau de mestre de ciências pela Universidade de Nova York. Vive com sua mulher, Nancy, em Oakland, Nova Jersey.

Você pode adquirir os títulos da Editora Best*Seller* por Reembolso Postal e se cadastrar para receber nossos informativos de lançamentos e promoções. Entre em contato conosco:

mdireto@record.com.br

Tel.: (21) 2585-2002
Fax.: (21) 2585-2085
De segunda a sexta-feira, das 8h30 às 18h.

Caixa Postal 23.052
Rio de Janeiro, RJ
CEP 20922-970

Válido somente no Brasil.

Este livro foi composto na tipologia Minion-Regular,
em corpo 11,5/15, impresso em papel off-white 80g/m²
no Sistema Cameron da Divisão Gráfica
da Distribuidora Record.